메타버스, 산업·경영을 혁신하다!

메타버스, 산업·경영을 혁신하다!

발 행 │ 2024년 08월 01일
저 자 │ 노재범
펴낸이 │ 한건희
펴낸곳 │ 주식회사 부크크
출판사등록 │ 2014.07.15.(제2014-16호)
주 소 │ 서울특별시 금천구 가산디지털1로 119 SK트윈타워 A동 305호
전 화 │ 1670-8316
이메일 │ info@bookk.co.kr

ISBN │ 979-11-410-9646-5

메타버스, 산업·경영을 혁신하다!

노재범 지음

CONTENT

머리말

몇 년 전 영국의 콜린스 사전은 올해의 단어 중 하나로 '메타버스(Metaverse)'를 선정했다. 메타버스는 '초월'을 의미하는 Meta와 '현실세계'를 의미하는 Universe의 합성어로 '현실세계와 같이 경제, 사회, 문화 등 다양한 활동을 할 수 있는 3차원 가상세계'를 의미한다. 메타버스의 역사는 어제, 오늘의 일이 아니다. 그럼에도 불구하고 기업들이 앞으로 메타버스에 주목해야 하는 이유는 무엇일까?

첫째, 메타버스는 미래 유망시장이다. 글로벌 컨설팅 회사인 맥킨지는 2030년 전산업 분야에서 메타버스가 만들어낼 시장을 5조 달러로 예상한다. 이는 2022년 3,000억달러와 비교해 17배 가까이 성장하는 규모다. 특히, 앞으로 중국, 인도를 비롯해 우리나라에서도 확장현실(VR, AR, MR 등 포함한 XR)을 활용한 다양한 비즈니스 모델이 등장해 메타버스 시장의 성장 동인이 될 것이다.

둘째, 메타버스는 산업과 기업경영의 혁신을 촉진하는 엔진의 역할을 할 것이다. PWC(2019)는 기업들이 메타버스를 활용해 새로운 고객경험을 제공하는 것에서부터 제품개발을 가속화하고 생산현장의 프로세스를 효율화하며, 작업장의 안전을 개선하는 것에 이르기까지 다양한 영역에서 혁신을 이룰 것이라 예상했다.

셋째, ICT 등 기반기술의 발전에 따라 향후 메타버스 서비스의 다양화·대중화가 기대된다. 5G 기술이 확산돼 3차원 실감형 콘텐츠의 실시간 제공과 6G를 기반으로 한 홀로그램 서비스가 모바일을 통해 가능해질 것이다. 또한, GPU의 향상으로 그래픽 처리기술이 고도화되고, 시야각과 해상도가 크게 개선된 가격경쟁력을 갖춘 다양한 디바이스가 등장하면서 메타버스 서비스는 대중화될 것이다.

최근 메타버스 열기가 식으며 시장 일각에서 메타버스를 한 때의 유행이라고 평가절하하는 시각도 있다. 하지만, 이는 메타버스를 게임이나 소셜 활동으로 한정한 것에서부터 오는 오해다. 메타버스는 최소 60년 이상의 산업적 역사를 가지고 있으며, 글로벌 기업들은 이미 오래전부터 메타버스를 활용하여 경영 전반에서 혁신을 이루어왔다.

'메타버스, 산업·경영을 혁신하다!' 이 책을 통해 국내외 기업들의 다양한 활용 사례를 접하면서 메타버스가 만드는 산업·경영의 미래를 상상해보시라!

제1장 자동차산업,
'가상증강현실' 기술로 혁신 엔진 장착!

2022년 1월, 코로나 이후 2년 만에 세계 최대 정보기술·가전전시회 CES 2022가 오프라인으로 개최됐다. 참가기업 수가 예년과 비교해 절반에 불과했지만, 미래 혁신기술을 체험할 수 있는 기회의 장이었다. 이 행사에는 삼성전자, LG전자 등 세계 최대 가전업체는 물론, GM, BMW, 메르세데스 벤츠 등 글로벌 자동차 기업들도 참가했는데, 그중 '메타모빌리티(Metamobility)'를 메시지로 한 우리나라 현대차의 혁신이 전 세계 관람객들로부터 주목을 받았다.

'메타모빌리티'는 로보틱스와 메타버스를 결합해 이동 경험의 영역을 가상현실까지 확장하는 것을 목표로 한 현대차의 미래 변화 핵심 키워드다. 앞으로 자동차는 가상세계에 접속하는 스마트 플랫폼이 되어, 사용자들이 이동 중에도 3차원 가상세계 안에서 회의, 쇼핑, 게임 등 다양한 경제적, 사회적, 문화적 경험을 할 수 있도록 만들겠다는 것이다.

■ **메타버스는 자동차산업 전반의 혁신 기회를 제공**
메타버스를 활용한 자동차기업의 혁신은 제품 자체뿐만 아니라, 경영 프로세스 전반에도 기회가 많다. 액센추어(2017)에 따르면, 자동차산업은 연구개발, 디자인, 생산, 마케팅, 고객서비스 등 가치사슬 전반에서 가상증강현실기술을 통해 혁신을 이룰 것으로 전망한다. 가상현실기술은 가상 원격개발 및 프로토타이핑, 주행 테스트, 가상 공장, 가상원격 생산 제어, 자동차 가상 테스트·훈련, 가상 쇼룸 등 생산 및 마케팅 활동을 혁신한다. 또한, 증강현실기술은 베타 프로토타입 테스트, 스마트 안경 기반 SCM 및 생산, 품질관리, 생산라인 제어 강화, 가상 기술 매뉴얼 등에 적용돼 생산성과 효율성을 크게 증대할 것으로 예상된다.

■ **자동차산업의 가상증강현실시장도 큰 폭으로 성장**
자동차산업에서 가상증강현실기술의 활용이 확대됨에 따라 관련 시장도 크게 증가될 전망이다.
　글로벌 시장조사기관(Reports and Data)에 따르면, 자동차산업의 가상증강현실시장은 2018년 3억9천만 달러에서 연평균 120% 성장해 2026년 2,185억 달러에 이를 것으로 전망하고 있다. 또 다른 기관(Allied Market Research)은 2025년의 자동차 가상증강현실시장을 6,736억 달러까지 예측하기도 한다.

기관에 따라 차이가 있지만, 자동차산업 관련 메타버스 시장이 앞으로 크게 성장할 것이라는 전망에는 변함이 없다. 그렇다면, 글로벌 자동차기업들은 가상증강현실기술을 활용해 어떤 혁신을 이루고 있을까?

■ 가상 프로토타입핑(Virtual Prototyping)으로 신차 개발비 절감

디자인은 신차 개발 시 시간과 비용이 많이 소요되는 단계 중 하나다. 새로 출시할 차량의 콘셉트를 확정하기까지 디자이너들은 보통 수 천장을 스케치한다. 또한, 최종 디자인을 결정하기 위한 프로토타입의 제작, 검토, 수정 과정에 상당한 노력과 비용이 수반된다. 과거, 실물 자동차 모형 1대의 제작비용은 대략 25만 달러에서 100만 달러에 이르고, 새로운 모델을 개발하려면 50~70개의 중간 프로토타입이 필요했다. 이는 대형 자동차회사조차 부담이 되는 큰 비용이다.

그러나, 최근 자동차 메이커들은 VR을 기반으로 한 가상 프로토타입으로 실물 모형을 대체하고 있다. VR 프로토타입을 사용하면 디테일한 부분의 검토는 물론, 다양한 변형도 신속하게 테스트할 수 있다. 또한, 실물 프로토타입을 제작하는 횟수를 획기적으로 줄여 개발비용을 크게 줄일 수 있다.

실제로, 파리 근교에 위치한 르노자동차의 테크노센터는 CAVE(Cave Automatic Virtual Environment)라 불리는 신차 설계 및 개발을 위한 특별한 시설을 보유하고 있다. CAVE는 고해상도 프로젝터와 고성능 컴퓨터, 그리고 3D 시각화 시스템을 갖춘 신차 연구개발을 위한 시뮬레이터다. 디자이너와 엔지니어들은 이 시뮬레이터를 활용해 신차의 외양은 물론, 각종 인터페이스 및 소재, 신기술 등을 가상현실로 구현하고, 실물 모형(mock up)의 제작 없이도 디자인과 성능이 뛰어난 신차를 설계한다.

르노의 엔지니어와 디자이너가 신차 개발 과정에서 시뮬레이터를 통해 새로운 모델의 가상 운전석에 앉아 사실감과 디테일이 뛰어난 3D 시승을 하고 있다.
https://www.renaultgroup.com/en/news-on-air/news/renault-has-acquired-the-worlds-most-realistic-simulator/

르노는 과거 신차 개발 시 최소 4단계의 프로토타입 차량을 제작했지만, 이 가상 시뮬레이터를 활용함으로써 최종 프로토타입만 필요하게 되었고, 이를 통해 연간 200만 유로를 절감하고 있다.

■ 원격 협동 설계 검토(Remote Collaborative Design Review)

대규모 투자가 수반되는 신차 개발 시, 초기 단계부터 디자이너, 마케팅 전문가, 엔지니어, 연구개발자들이 정기, 비정기적으로 모여 설계안을 함께 검토하는 것이 일반적이다. 이들이 가까운 곳에 있다면 다행이지만, 보통의 경우 지역적으로 멀리 떨어진 곳에서 출장을 와야 한다.

포드자동차는 이러한 불편을 해결하기 위해 가상증강현실기술을 활용하고 있다. 바로, 전 세계의 자동차 디자이너와 엔지니어들이 실시간으로 설계 과정에 참여·협업할 수 있는 가상실험실, FIVE(Ford's Immersive Vehicle Environment)다. 이 가상실험실에는 실험자의 몸에 부착할 센서와 모션 캡쳐 장치, 그리고 고해상도의 가상현실 장비들이 준비되어 있다. 포드의 디자이너와 엔지니어, 연구진들은 프로토타입 제작 전, 이 실험실에서 새로 설계한 신차의 개념을 함께 공유하며 인체공학적 측면뿐 아니라, 외양, 색상, 재료 등에 대해 초기 평가를 할 수 있다. 또한, 전 세계 주요 거점에 근무하는 디자인팀들도 실시간으로 신차의 개념에 대해 의견을 제시할 수 있다.

가상증강현실기술을 활용한 자동차기업들의 설계·개발 혁신은 이제 더 이상 특별한 일이 아니다. 국내의 현대기아차 역시 버추얼 개발 프로세스를 이미 구축해 신차 개발비용과 시간을 획기적으로 줄이고 있다.

메타버스를 활용한 자동차산업의 생산 운영 혁신

2022년 1월 개최된 CES에서 '메타모빌리티' 이상으로 조명받았던 현대차의 또 다른 키워드는 '메타팩토리(Meta-Factory)'다. 이는 현실의 스마트팩토리(Smart Factory)를 디지털 가상세계에 그대로 구축해 제조 혁신을 추구하겠다는 비전이다. 실제로, 현대차는 세계적인 가상증강현실 기술기업 유니티(Unity)와의 협업을 통해 2023년 말 '싱가포르 글로벌 혁신센터(HMGICS)' 내에 메타팩토리를 구축했다. 현대차는 그 가상공장에서 차량의 주문과 생산, 품질관리, 인도, 애프터 서비스 등 자동차 생산운영 전반의 연구와 실증을 통해 실제 공장 운영을 보다 고도화할 수 있을 것으로 기대한다.

https://www.hyundai.com/worldwide/ko/brand-journal/mobility-solution/unveiling-hmgics-singapore

사실, 현대차를 포함해 생산운영 혁신을 위한 자동차기업들의 가상증강현실기술 활용은 어제오늘의 일이 아니다. 글로벌 자동차기업들이 추진해왔던 구체적인 혁신 사례와 성과를 살펴보자.

■ 효율적이고 안전한 작업장 설계

자동차기업들은 작업자의 인간공학적 특성을 고려하고, 가장 효율적이고 안전한 생산라인과 작업환경 설계를 위해 가상증강현실을 활용해왔다.

포드의 가상증강현실기술 기반의 실험실, FIVE(Ford's Immersive Vehicle Environment)에선 인간공학 연구자들이 실험 작업자의 신체에 50여개의 모션 캡쳐 장치를 장착해 5,000개 이상의 데이터 포인트를 기록한다. 그런 다음, 작업자의 손동작을 최적화할 수 있도록 3D 프린팅 기술로 조립 장비들을 재구성한다. 또한, 작업자의 안전성을 높일 수 있는 몸의 위치, 자세 등을 시뮬레이션한다. 포드는 신차가 출시될 때마다 900개 이상의 가상 조립작업을 평가하는데, 이 방식을 활용해 작업자의 부상을 70% 감소시켰으며, 인간공학적 문제를 90% 줄였다.

■ AR 작업지침을 이용해 빠르고 정확한 조립

자동차 완제품 생산을 위해선 보통 수 만 개의 부품을 조립해야 한다. 과거에는 작업자들이 종이로 된 매뉴얼이나 컴퓨터 화면을 확인하며 조립해야 했다. 조립해야 할 부품 수가 많아 공정에 익숙하지 않은 작업자들은 불량품을 만들 가능성이 높았다. 그러나,

현재는 대화형 AR 지침서와 작업가이드가 복잡한 종이 매뉴얼을 대체해 조립공정이 빠르고 정확해졌다.

한 예로, BMW는 프로토타입 조립 단계에서 볼트 용접 작업을 3차원으로 안내하는 AR시스템을 개발해 현장에 적용하고 있다. 용접기에는 적외선 LED와 광학 추적 시스템이 장착돼 있다. AR 시각화를 통해 작업자들은 작업해야 할 포인트를 정확히 파악할 수 있어 용접 작업을 훨씬 더 빨리 완료할 수 있다.

■ **품질검사 시간 단축과 정확도 향상**

신차 생산을 위해선 그에 맞는 새로운 장비에서부터 여러 유형의 다양한 치공구(Jig and Fixture)가 필요하다. 과거에는 새로 도입한 장비와 치공구가 문제없는지 점검하는 데도 많은 시간이 소요됐다. 이제 자동차기업들은 가상증강현실 기술을 활용해 이러한 품질검사를 빠르고 정확하게 수행하고 있다.

예를 들어, BMW그룹의 공구 제작 및 플랜트 품질검사원들은 삼각대 위에 태블릿을 장착해 새로 도입된 장비의 이미지를 촬영한 다음, AR 애플리케이션을 통해 주문했던 CAD 데이터와 겹쳐 비교한다. 프레스와 같은 대형 장비의 경우, 드릴 구멍의 크기, 표면 특징 등 평균 50여 개의 품질 규격을 확인한다. 사소한 불량도 현장에 투입되기 전 조치해 품질비용을 절감할 수 있다.

BMW그룹의 공구제작 및 플랜트 품질검사원이 삼각대 위에 태블릿을 장착해 새로 도입한 장비의 이미지를 촬영한 다음, AR 애플리케이션을 통해 주문했던 CAD 데이터와 겹쳐 비교해보고 있다.
https://www.automotivemanufacturingsolutions.com/bmw/quick-learners/38953.
article

■ 애프터 서비스 시간 단축

자동차가 전자화됨에 따라 차량의 내부구조가 급격히 변했고 복잡성도 증가했다. 이에 따라 애프터 서비스 직원들이 작업 매뉴얼의 도움 없이 자동차를 수리하기는 쉽지 않다. 현재 자동차업체들은 AR기술을 적용해 서비스 직원들이 시각적 안내를 받으며 수리작업을 단계적으로 수행할 수 있도록 지원하고 있다.

예를 들어, 포르쉐의 AS요원들은 AR 안경을 착용하고 수리 작업을 한다. 작업자가 수리해야 할 부분에 시선을 두면 AR 안경의 화면에 수리 방법이 표시된다. 또한 본사의 전문가가 수리 작업자의 시선 그대로를 확인하고 필요에 따라 즉시 자문할 수 있다. 포르쉐는 이 방식을 통해 서비스 시간을 평균 40% 단축했다.

■ 복잡성과 기대효과를 기준으로 프로젝트 우선순위 검토

앞의 사례에서 볼 수 있듯이, 가상증강현실 기술을 활용한 자동차 기업의 생산운영 혁신은 이미 상당 부분 진행돼 왔다. 그렇다면, 자원이 한정된 일반제조기업들이 생산운영의 어떤 부문에 가상증강현실 기술을 가장 먼저 도입해야 할까?

글로벌 컨설팅사 캡제미니(Capgemini)의 연구는 이러한 질문에 어느 정도 해답을 제시한다. 캡제미니는 가상증강현실 기술을 활용한 자동차기업들의 생산운영부문 혁신 사례 연구를 통해, 가상증강현실 프로젝트의 우선순위를 구분했다. 그림에서 종축(y축)은 대상 프로젝트의 복잡성이고, 횡축(x축)은 프로젝트 추진에 따른 기대성과다.

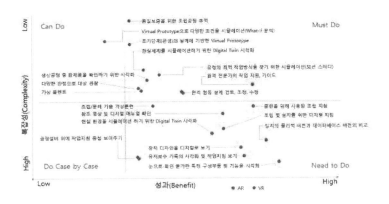

자료: Augmented and Virtual Reality in Operations, Capgemini

캡제미니는 복잡성이 낮고 기대성과가 높은 Must-do 프로젝트를 가장 먼저 추진할 것을 제안한다. 그 다음은 Need-to-do(기대성과 high, 복잡성 high), Can-do(기대성과 low, 복잡성 low) 순으로 진행한다. 마지막으로, 기대효과가 낮고 복잡성이 높은 프로젝트는 case by case로 추진한다. 캡제미니의 이러한 제안은 자동차 관련 기업뿐만 아니라, 한정된 자원으로 가상증강현실 기술을 도입하려는 일반제조기업들에게도 유용한 기준이 될 수 있다.

메타버스를 활용한 자동차산업의 영업·마케팅 혁신

2021년 9월, 독일 뮌헨에서는 IAA(Internationale Automobil-Ausstellung) 국제 모터쇼가 열렸다. 이 모터쇼는 125년의 역사를 가진 프랑크푸르트 모터쇼가 전시회명과 장소를 바꿔 새로운 모습으로 재탄생한 것이었다. 미래 모빌리티에 초점을 맞춰 열린 이 모터쇼에는 코로나19가 창궐하고 있던 와중에도 전세계 95개국에서 40만명 이상이 운집했는데, 흥미로운 점은 관람객의 약 70%가 40세 이하였다는 것이다.

때마침, BMW는 자동차업계 최초로 조이토피아(JOYTOPIA)라는 자체 메타버스를 공개해 관람객들로부터 특별한 주목을 받았다. 조이토피아는 BMW가 MZ세대를 타깃으로 구축한 브랜드 마케팅을 위한 메타버스였다. 관람객들은 조이토피아에서 BMW의 콘셉트카(Concept Car)를 경험할 수 있을 뿐만 아니라, 세계적인 밴드그룹 콜드플레이의 라이브 공연을 보면서 아바타를 통해 댄스를 즐기고 이벤트에도 참여할 수 있었다. 이처럼, 최근 메타버스를 활용한 글로벌 자동차기업들의 마케팅 활동이 본격화되고 있다.

■ 메타버스 플랫폼은 콜라보 마케팅의 시험대

이러한 흐름에 앞서가고 있는 자동차기업은 우리나라의 현대자동차다. 현대자동차는 제페토(Zepeto), 로블록스(Roblox) 등 전세계 수억명의 사용자를 확보한 메이저 B2C 메타버스 플랫폼과의 협업을 통해 마케팅을 진행 중이다.

그중, 로블록스 내에 구축한 '현대 모빌리티 어드벤처'에서는 고객들이 현대자동차의 모빌리티를 가상으로 체험할 수 있다. 사용자들은 이곳에서 아이오닉 5 등 차량을 직접 운전해 볼 수 있고, UAM(도심항공교통), PBV(목적기반모빌리티), 로보틱스 등의 미래 모빌리티 체험도 가능하다. 현대차는 탐험, 미니 게임, 소셜 네트워크 기능들을 지속적으로 업그레이드해 MZ세대 소비자들이 메타버스 안에서 라이프스타일을 즐길 수 있도록 할 계획이다.

■ 가상 쇼룸(Virtual Show Room)을 통해 개인별 맞춤 상담

글로벌 자동차기업들이 가상증강현실 기술을 가장 적극적으로 활용하고 있는 분야 중 하나는 가상 쇼룸이다. 전시장이라는 공간의 제약에서 벗어나 소비자들에게 어떤 차종이나 모델이든 맞춤화하여 실감 나게 보여줄 수 있기 때문이다.

예를 들어, 아우디는 VR 장치와 대형 디스플레이만을 배치한 가상 쇼룸을 전세계 1천 곳 이상 운영하고 있다. 방문객들은 이곳에서 자신이 원하는 차량의 외장, 색상, 실내 인테리어 등을 바꿔가며 즉석에서 경험하고 내근직원과 상담할 수 있다.

굳이 전시장을 방문하지 않더라도 스마트폰 애플리케이션을 이용해 언제 어디서든 차량을 둘러볼 수 있는 서비스도 있다. 기아자동차는 '기아 Play AR'이라는 앱을 무료로 제공하고 있는데, 고객들은 이 앱을 구동만 하면 신차의 외관과 내부 디자인을 커스터마이징해 살펴보고 차량에 탑재된 첨단 기술까지 체험할 수 있다.

■ 가상증강현실 기술을 활용한 프로모션 이벤트는 이미 일반화

글로벌 자동차기업들은 이미 오래 전부터 신차의 판매촉진 수단으로 가상증강현실 기술을 활용해 왔다.

예를 들어, 포드는 신형 SUV(에코스포츠 미니)를 출시한 후, 북미 시장에서의 선도적인 기업 이미지를 강화하기 위해 증강현실 기반의 프로모션 앱을 론칭했다. 또한, 타깃 고객인 밀레니얼 세대의 참여를 이끌어내기 위해 그들에게 익숙한 소셜미디어 스냅챗(Snapchat)과도 협력 마케팅을 진행했다. 고객들은 앱을 이용해 가상의 에코스포츠를 자신이 원하는 위치에 배치해 360도 고해상도로 차량의 외관은 물론, 내부 인테리어를 확인할 수 있었고, 마음에 드는 모델의 사진을 스냅챕에 올려 친구들과도 공유할 수 있었다. 이 프로모션을 통해 310만 건의 홍보 노출과 86,000

건의 SNS 공유가 일어나는 등 성과는 기대 이상이었다.

■ 달리는 차 안에서도 가상현실 테마파크를 경험

얼마 전까지 승용차 안에서 즐길 수 있는 엔터테인먼트는 음악 감상이나 DMB, 동영상 시청 정도였다. 그러나, 최근 가상증강현실 기술을 활용함으로써 승용차에서 즐길 수 있는 엔터테인먼트 서비스가 질적으로 변화하고 있다.

가장 발 빠르게 움직이고 있는 자동차기업은 아우디다. 이 회사는 VR 기술과 도로 및 실시간 주행 정보를 활용해 승용차 뒷좌석에서 가상의 테마파크를 경험할 수 있도록 하고 있다. 예를 들어, 탑승자가 주행하는 자동차 안에서 전용 VR 헤드셋을 착용하면, 도로와 자동차의 주행 속도에 따라 변화되는 디즈니의 캐릭터를 만나거나 그들과 함께 게임도 즐길 수 있다. VR 헤드셋을 통해 보는 가상의 영상이 도로 및 주행 정보와 동기화되어 차가 신호를 받아 정지하면 횡단보도를 건너는 캐릭터를 만날 수 있고, 주행 중 급커브를 돌면 캐릭터들도 그에 따라 급하게 움직인다. 자동차가 단순한 이동의 수단에서 게임과 테마파크를 즐길 수 있는 엔터테인먼트 제공 매체로 변화하는 것이다. 아직 제한된 지역에서 시속 60km 이하로 주행할 때만 작동하는 등 서비스의 한계는 있지만, 가까운 미래에 일반도로에서도 실용화될 전망이다.

'디지털 트윈'은 자동차산업의 또 다른 혁신 수단

'디지털 트윈(Digital Twin)'이 전 산업으로 확산되는 가운데, 이 기술을 가장 적극적으로 활용하고 있는 산업은 자동차산업이다. 전문기관(Allied Market Research)에 따르면, 자동차산업의 '디지털 트윈' 시장은 2022년 현재 약 22억 달러에 이르며, 향후 10년간 연평균 33% 성장해 2032년 346억 달러로 확대될 전망이다.

■ 신제품 개발 속도 증가, 생산 효율성 향상, 유지보수 비용 절감, 제품 품질 개선에 혁신적으로 기여

디지털 트윈은 자동차산업에서 신제품 개발의 속도를 높이고, 생산 효율성을 개선하며, 유지보수 비용을 절감하고, 제품 품질을 향상하는 데 크게 기여하고 있다. 예를 들어, 포드는 디지털 트윈 기술을 통해 신제품 개발 시간을 절반 가까이 줄였으며, BMW는 이 기술을 활용해 특정 생산라인의 효율을 30% 향상시켰다. 또, 볼보는 디지털 트윈 도입으로 차량 유지보수 비용을 20% 절감하는 성과를 보였고, 테슬라는 제조 과정 중 결함 발생률을 25% 줄임으로써 품질 개선에 기여했다.

이처럼 자동차 업계는 설계·개발, 생산·제조, 품질관리, 유지보수 등 생산 및 운영 프로세스 전반에서 디지털 트윈을 활용해 혁신적인 성과를 거두고 있다.

< 자동차산업의 디지털 트윈 활용 혁신 >

활용 분야	활용 내용	사례
설계·개발	실제 차량의 가상모델을 생성해 설계효율성을 높이고, 시험/검증 과정을 가상 환경에서 수행 이를 통해 개발 시간과 비용을 절감하고, 더 나은 제품을 설계	포드 도요타 GM
생산·제조	공장의 가상모델을 통해 생산라인 최적화, 공정 시뮬레이션, 효율적 장비관리 이를 통해 생산 효율성을 높이고, 비용을 절감	BMW 포르쉐 폴스바겐
품질관리	제품 품질을 실시간으로 모니터링하고, 문제가 발생할 경우 신속하게 대응 제품 신뢰성을 높이고, 고객 만족도를 개선	테슬라 혼다 르노
유지보수	차량의 성능 데이터를 분석해 유지보수가 필요한 시점을 예측하고, 효율적인 서비스 계획을 수립	볼보 닛산 아우디

자료: 필자가 ChatGPT 검색을 통해 정리

■ 고객에게 더욱 개인화되고 개선된 서비스 제공

전통적인 생산·운영 분야에 더해, 최근 자동차산업에서 디지털 트윈을 이용해 혁신하고 있는 새로운 분야는 고객 서비스 경험 개선, 작업자 훈련 및 안전, 공급망 관리 등이다.

자동차산업에서 디지털 트윈은 맞춤형 경험을 제공하는 데 있어 핵심적인 역할을 할 수 있다. 이를 활용하여, 자동차기업들은 차량의 성능과 사용자 경험을 실시간으로 추적하고 분석함으로써, 고객에게 더욱 개인화되고 개선된 서비스를 제공할 수 있다.

예를 들어, 메르세데스-벤츠는 디지털 트윈을 활용하여 운전자의 선호도와 운전 스타일을 분석하고, 이를 바탕으로 개인화된 운전 경험을 제공한다. 이는 차량의 성능 조정이나 인포테인먼트 시스템의 맞춤 설정 등을 포함한다.

또 다른 예로, 테슬라는 차량의 성능 데이터를 실시간으로 모니터링하고 분석해 고객에게 맞춤형 유지보수 및 서비스를 제공한다. 디지털 트윈 기술을 활용함으로써, 테슬라는 차량의 상태를 정확히 파악하고, 필요한 경우 사전에 유지보수를 권장하여 고객의 불편을 최소화한다. 또한, 소프트웨어 업데이트를 원격으로 제공하여 차량의 기능을 개선하고, 고객 만족도를 지속해서 높혀가고 있다.

■ 작업자의 훈련과 안전성 향상을 위한 새로운 기회를 제공

디지털 트윈 기술은 자동차 기업에게 작업자 교육 및 안전성 향상에 대한 새로운 기회를 제공하고 있다. 가상공간에 복제된 생산라인에서, 작업자들은 반복훈련을 통해 필요한 기술을 습득하며, 다양한 안전 시나리오를 시뮬레이션함으로써 잠재적 위험을 인식하고 이에 효과적으로 대처하는 방법을 학습할 수 있다.

BMW는 디지털 트윈과 가상현실 기술을 활용해 공장 내 작업자들을 위한 훈련 프로그램을 개발하고 있다. 이 기술을 통해, BMW는 작업 공정과 안전 절차에 대해 실질적이고 효과적인 훈련을 제공함으로써 작업자들이 보다 안전하게 작업할 수 있도록 돕고 있다. 작업자들은 가상 환경에서 이루어지는 훈련을 통해, 실제 작업에 앞서 다양한 장비와 도구 사용법을 숙달할 수 있다.

아우디는 디지털 트윈 기술을 활용하여 공장 작업자들의 훈련과 안전을 위한 시뮬레이션을 제공한다. 아우디는 특히, 생산 공정의 효율성을 높이고 작업자 안전을 강화하기 위해 가상현실 훈련 프

로그램을 도입했다. 이 프로그램은 작업자들이 실제 생산라인에서 마주칠 수 있는 상황을 가상으로 경험하게 하여, 사고 예방과 대응 능력을 향상시키는 데 목적이 있다.

아우디는 첫 전기 세단 e-tron GT의 제작을 준비하면서 가상현실(VR) 기반의 작업자 훈련 프로그램을 도입했다.
https://www.automotiveit.com/digital-customer-experience/audi-the-latest-to-expand-use-of-virtual-reality-at-dealerships-and-service-bays-/38326.article

■ 공급망의 가시성을 높이고, 위험을 관리하며, 운영 효율성을 개선하는 데도 디지털 트윈이 효과적

자동차 산업의 공급망은 광범위하고 복잡한 다양한 계층으로 이루어져 있어, 공급업체, 제조업체, 그리고 유통업체 간의 복잡한 네트워크를 관리하는 것이 큰 도전이다. 이에 대응해, 자동차기업들은 디지털 트윈 기술을 도입하여 공급망의 가시성을 높이고, 위험을 관리하며, 운영의 효율성을 개선하고 있다.

포드는 공급망 관리와 생산 계획을 최적화하기 위해 디지털 트윈 기술을 적극적으로 활용하고 있다. 포드는 디지털 트윈을 사용하여 공급망에서 발생할 수 있는 다양한 리스크를 시뮬레이션하고, 이를 기반으로 더 탄력적인 공급망 전략을 수립한다.

또 다른 예로, 볼보 그룹은 상용 차량 제조 분야에서 디지털 트윈 기술을 활용하여 공급망 관리를 최적화하고 있다. 볼보는 제조 공정과 공급망 전반에 걸쳐 디지털 트윈을 구현하여, 부품 공급의 효율성을 높이고, 생산 계획을 개선하며, 재고 관리를 최적화한다.

MY2009 Baseline

Reference: 0%

Volvo ST2 achieved ~50% drag reduction over baseline (~20% over ST1)

Volvo Supertruck 2 SIMULIA PowerFLOW is a powerful tool to improve aerodynamics at any stage of design development

볼보는 새로운 차량 디자인의 다양한 소재와 공기역학을 테스트하고 시도하기 위해 디지털 트윈을 활용한다. 이를 통해 성능을 개선하고 연비 효율적인 이상적인 디자인을 선택할 수 있다.

https://www.toobler.com/blog/digital-twin-examples

제2장 자원에너지산업,
'메타버스 트랜스포메이션'의 숨은 강자

메타버스가 부상함에 따라 자동차, 금융, 리테일, 패션 등 전통산업이 변신하고 있다. 버추얼 프로토타입 설계, 원격 디자인 협업 및 유지보수, 가상지점 및 가상쇼룸 개설, VR 기반의 학습·훈련 등 메타버스 트랜스포메이션을 통해 운영비용을 줄이고 생산성을 높이는 기업사례는 수없이 많다. 그렇다면 거대한 설비와 장치를 생산설비로 활용하는 자원에너지산업의 메타버스 트랜스포메이션 상황은 어떨까?

대부분의 사람들이 자원에너지산업은 첨단 ICT기술이나 메타버스와는 거리가 멀 것으로 생각한다. 하지만, 우리들의 상식과 달리, 글로벌 자원에너지산업은 메타버스 트랜스포메이션에서 그 어떤

산업보다 우위에 있다.

■ 자원에너지산업, 메타버스 트랜스포메이션을 리딩

최근 맥킨지의 연구자료(Value creation in the metaverse, 2022)에 따르면, 자원에너지산업은 메타버스의 도입과 향후 투자계획에 있어 타 산업에 근소한 차이로 앞서 있다. 맥킨지는 앞으로 자원에너지(18%), 하이테크(17%), 자동차 및 기계조립(17%), 관광업(15%), 미디어 및 엔터테인먼트(15%), 패션 및 소매유통업(14%) 등의 순으로 메타버스에 대한 투자가 늘어날 것으로 전망한다(이 순서는 투자의 절대 규모가 아닌, 비율이라는 점에 유의할 필요가 있다).

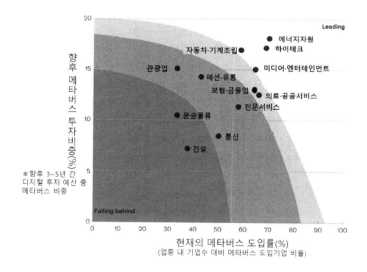

Value creation in the metaverse, Mckinsey, 2022

그렇다면, 자원에너지산업은 대체 메타버스를 활용해 어떤 혁신을 하고 있을까?

■ 광산 채굴작업을 지원하는 AR 소프트웨어는 이미 상용화

새로운 광산을 개발할 때, 엔지니어가 설계한 채굴계획과 일치하도록 굴착하는 작업은 매우 중요하다. 채굴계획은 전문가가 가장 낮은 비용으로 가장 많은 양의 자원을 채취하도록 설계한 것이기 때문이다. 따라서, 광산기업들은 굴착작업이 계획대로 잘 진행되고 있는지 확인하는 일에 많은 시간과 비용이 소모되었다.

여기에 착안해, 호주의 광산용 소프트웨어·하드웨어 전문기업인 맵텍(Maptek)은 증강현실기술을 이용해 굴착작업이 광산계획과 일치하는지를 확인하는 기술을 상용화했다.

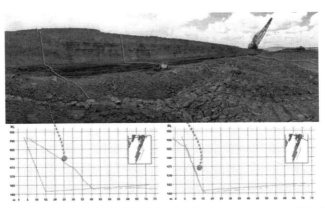

맵텍의 'PerfectDig'는 채굴작업에서 측량, 지질학 및 지반공학 팀을 위한 이상적인 솔루션을 제공한다.
https://www.maptek.com/news/maptek-brings-augmented-reality-to-the-mining-industry/

이 회사가 개발한 솔루션(Perfect Dig)은 채굴작업을 진행할 영역을 현장의 암반 위에 겹쳐 보여줌으로써 작업이 더 필요한 영역을 즉석에서 확인할 수 있도록 한다. 또 실제 채굴량이 계획된 채굴량과 비교해 얼마나 차이가 있는지를 실시간으로 알려줌으로써 자원 생산계획을 효과적으로 수정 및 보완할 수 있도록 지원한다.

■ **가상증강현실기술 기반의 작업자 직무교육·안전훈련 시뮬레이터 확산**

자원에너지산업의 작업자들은 밀폐되거나 고립된 공간에서 폭발, 붕괴, 가스 흡입, 낙상, 감전 등 치명적인 위험을 안고 작업하는 게 일상이다. 따라서, 작업자들을 숙련시키고 사고 발생 시 빠르게 대처할 수 있는 능력을 키우는 일은 자원에너지 기업들의 최우선 업무 중 하나다.

최근 가상증강현실기술을 활용한 교육·훈련시스템이 이 문제를 해결하기 위한 대안으로 떠올랐다. 게다가, 이 시스템은 훈련에 필요한 시간과 비용도 크게 절감한다. 교육·훈련에 따른 인명 피해나 물리적 장치의 손상 없이 실제와 유사한 환경에서 무한 반복하여 훈련할 수 있기 때문이다.

한 예로, 영국의 원유생산기업 BP(British Petroleum)는 2016년부터 해상의 원유시추 작업을 안전하게 훈련할 수 있는 가상증강현실 시뮬레이터를 구축했다. 이 시스템은 해양 굴착 시의 핵심작업들을 가상으로 훈련할 수 있는 시뮬레이터이다. 작업자들은 이 시스템을 이용해 시설 운영에서부터 고난도 제어기술까지 다양한 직무기술과 기술적 문제 대응·조치 방법도 교육받는다.

한편, 핀란드의 전력기업 포툼(Fortum)은 2019년부터 원자력발 전소의 엔지니어 훈련을 위해 고해상도 VR 시뮬레이터를 개발·운 영 중이다. 이 가상 시뮬레이터는 실물 시뮬레이터와 동일한 기능 을 갖추고도 개발비는 1/10에 불과하다. 또, 기존의 물리적 시뮬 레이터에서는 불가능했던 화재, 연기, 홍수, 지진 등의 재해 상황 을 가상 체험하며 훈련할 수 있다.

핀란드 전력기업 포툼(Fortum)의 작업자가 VR헤드셋을 착용하고 가상훈련 중이다.
https://www.world-nuclear-news.org/Articles/Fortum-develops-high-definition-VR-s imulator

■ 설비 및 장치의 신속·정확한 유지보수

자원에너지산업과 같은 대규모 장치산업에서는 유지보수만큼 중요 한 일이 없다. 설비 가동이 중단되면 생산계획 상의 차질은 물론, 재가동을 위해 투입되는 비용들이 만만치 않기 때문이다. 이에 따 라, 자원에너지 기업들은 오래전부터 가상증강현실기술을 활용해 유지보수를 신속·정확하게 수행하는 방안을 고민해 왔다.

한 예로, 셰브론(Chevron)은 캘리포니아에 소재한 정유공장의 유지보수작업에 증강현실기술을 활용하고 있다. 과거 이 정유공장의 유지보수 엔지니어는 플랜트의 운영 상태를 점검하기 위해 자전거를 타고 하루 다섯 번 이상 사무실에서 공장까지 왕복하는 등 많은 시간과 노력을 소비했다. 셰브론은 마이크로소프트의 홀로렌즈 기술을 도입해 이 문제를 해결했다. 공장의 현장 작업자가 카메라가 장착된 증강현실 고글을 쓰고 본부의 엔지니어에게 화상전화를 걸면, 연결된 엔지니어는 작업자의 시선 그대로 현장의 상황을 보면서 플랜트의 운영 상태를 실시간으로 점검할 수 있다. 셰브론은 이 시스템을 통해 정유공장의 운영 정지시간을 크게 줄이고 생산성도 높였다.

셰브론의 현장작업자는 마이크로소프트의 원격 지원과 결합된 홀로렌즈(HoloLens)를 사용하여 전 세계에 있는 전문가의 조언을 들으며 실시간으로 문제를 해결한다. https://www.chevron.com/stories/2018/q4/how-we-learned-from-nasa-and-microsoft-hololens-team-to-make-teleportation-a-reality

제3장 농·축·수산업,
디지털 트윈으로 생산성 혁신

제조업을 중심으로 발전하던 '디지털 트윈'이 다양한 산업 분야로 확산되고 있다. 그중 최근 이 기술의 쓰임새가 확대되며 주목받는 분야가 있다. 바로 농·축·수산업이다. 디지털 트윈을 활용하면 생산성을 높이고 비용도 절감할 수 있기 때문이다. 특히, 이 산업에서는 기후 변화, 자원 고갈, 생태계 파괴 등 환경적 문제가 이슈화되면서 이를 해결하기 위한 수단의 하나로 디지털 트윈에 대한 관심이 높다.

■ '농산 디지털 트윈', 고효율의 작물 생산을 실현
글로벌 농기업들은 농작물의 성장조건, 토양 상태, 기후 변화 등을 모니터링하고 분석하여 농작물 수확의 생산성을 높이고, 자원 사용을 최적화하는 데 디지털 트윈을 활용하고 있다.

예를 들어, John Deere는 농기계와 장비에 센서를 탑재해 데이터를 수집한 뒤, 이를 디지털 트윈과 결합하여 작물의 성장 상태를 모니터링하고, 농기계의 성능을 최적화한다. 이를 통해 농부들은 작물 관리와 자원 사용을 효율적으로 수행할 수 있으며, 농기계의 유지보수 시점을 예측해 고장시간을 최소화할 수 있다.

또 다른 사례로, Climate라는 기업은 작물의 성장과 농장의 상태를 실시간으로 모니터링할 수 있는 플랫폼(Climate FieldView)을 개발했는데, 농부들은 이 플랫폼에서 이루어지는 데이터 분석을 통해 수확량을 예측할 수 있다. 또, 이 플랫폼은 농부들이 농사와 관련된 의사결정을 더 정확히 내릴 수 있도록 정보를 지원하여 생산성을 높이고 자원의 낭비를 줄일 수 있게 도와준다.

Climate FieldView를 통해 작물 성과를 파악하고 수확 보고서를 즉시 생성하여 농업 파트너와 쉽게 공유할 수 있다.
https://www.climatefieldview.co.za/product/#Planting

한편, AeroFarms는 디지털 트윈을 사용하여 실내 농장의 환경 조건(온도, 습도, CO_2 농도 등)을 정밀하게 모니터링·제어하고, 이를 통해 최적의 성장 조건을 유지하며, 물과 영양소의 사용을 최적화하여 고효율의 작물 생산을 실현하고 있다.

이 밖에도, CropX는 토양 센서와 데이터 분석 플랫폼을 결합해 물과 비료의 사용을 최적화하고 환경 파괴를 줄일 수 있도록 도와주며, Farmers Edge는 위성 이미지, 기상 데이터, 그리고 현장 센서를 통해 수집된 데이터를 분석해 병해충 발생을 예측하고, 자연재해로 인한 손실을 최소화할 수 있도록 돕는다.

■ '축산 디지털 트윈', 목장 운영의 효율성을 제고

글로벌 축산기업들에 있어서 디지털 트윈은 목장 관리의 효율성과 생산성을 높이며, 동물 복지를 개선하는 데 중요한 역할을 한다.

예를 들어, Cainthus는 컴퓨터 비전 기술을 사용하여 가축의 행동과 건강 상태를 모니터링한다. 이 회사는 농장 내의 카메라가 수집한 이미지 데이터를 분석하여, 가축의 먹이 섭취량, 활동 패턴, 스트레스 지표 등을 실시간으로 감지한다. 목장 관리자는 이 정보를 바탕으로 가축의 건강 상태를 모니터링하고 적절한 조치를 취할 수 있다.

또, Allflex Livestock Intelligence라는 회사는 가축의 건강, 번식, 위치 등을 추적할 수 있는 가축 모니터링 솔루션을 제공한다. 이 솔루션은 목장 관리자가 가축 관리와 관련된 의사결정을 내리는 데 도움을 주며, 목장 운영의 효율성을 높인다.

한편, Connecterra는 'Ida'라는 인공지능 기반 플랫폼을 통해 가축의 건강 상태를 모니터링하고 있다. Ida는 가축의 움직임과 행동 패턴을 분석하여 건강 문제를 조기에 감지하고, 사료 섭취량과 활동량에 대한 인사이트를 제공한다.

Connecterra의 Ida는 데이터 분석과 머신러닝을 사용하여 동물 행동을 예측한다. 현재 Ida는 14개국에서 수만 마리의 가축을 모니터링하는 데 활용되고 있다
Connecterra Facebook Page

이 밖에, Afimilk, SCR Dairy, Lely 등의 기업은 우유 생산 및 가축의 건강 관리에 디지털 트윈을 활용해 유제품의 생산성을 높이고, 가축의 질병을 조기에 발견하여 치료하고 있다.

■ '수산 디지털 트윈', 양식장 관리의 효율성을 높이고, 지속 가능한 양식에 기여

글로벌 수산기업에서는 양식장 관리를 효율화하고, 생산성을 높이며, 지속 가능한 양식 방법을 개발하는 데 디지털 트윈을 활용하고 있다.

인도네시아 스타트업 eFishery는 양식장의 사료 자동 공급기와 연동된 디지털 트윈 플랫폼을 구축했다. 이 플랫폼은 양식 생물의 사료 섭취량을 모니터링하고, 사료 공급을 최적화하여 사료 비용을 절감하고 양식 어류의 건강을 개선한다.

또 다른 예로, 해양 양식 시스템을 위한 통합 솔루션을 제공하는 회사인 InnovaSea는 양식장의 환경 모니터링과 데이터 관리를 위해 디지털 트윈 기술을 활용한다. 이를 통해 양식장 관리자는 양식 환경을 실시간으로 모니터링하고, 양식 생물의 건강과 생산성을 최적화할 수 있다.

또, 캐나다의 XpertSea는 양식장에서 사용할 수 있는 AI와 컴퓨터 비전 기술을 활용한 고급 분석 플랫폼을 제공하고 있다. 양식장 관리자는 이 플랫폼을 활용해 양식 생물의 크기, 성장률, 건강 상태 등을 정확하게 측정하고, 이 데이터를 활용하여 사료 공급 계획을 최적화하고, 생산성을 향상시키며, 질병 발생을 조기에 감지할 수 있다.

이 밖에, Aquaai는 물고기 모양의 로봇을 통해 수집한 데이터를 디지털 트윈 플랫폼과 통합해 양식장 관리의 효율성을 높이고 있으며, Cargill은 디지털 트윈 기술을 이용하여 사료의 효율을 평가하고, 양식 생물의 성장을 예측하고 있다.

Aquaai의 물고기 같은 플랫폼: 뛰어난 데이터 수집을 위한 카메라 및 플러그 앤 플레이 센서가 장착되어 있다. 자연 서식지에 눈에 띄지 않게 몰입할 수 있도록 자연을 염두에 두고 생체 영감을 받은(Bio-inspired) 디자인이다.

https://www.aquaai.com/

■ 국내 농·축·수산 기업, 내부 전문가 양성과 파트너쉽을 통해 작은 것부터 단계적 추진을 검토

디지털 트윈 기술의 활용은 국내 농·축·수산 업계에게도 생산성 향상, 비용 절감, 지속 가능한 경영 등 다양한 이점을 제공할 것이다. 하지만, 상대적으로 규모가 작은 국내 농·축·수산 기업들이 글로벌 기업사례를 그대로 따라 하긴 쉽지 않을 것이다.

여건이 되는 기업이라면 가장 먼저 해야 할 일은 내부 전문가 양성이다. 내부 인력 중에서 디지털 트윈 기술을 담당할 전문가를 양성하거나, 외부 전문가를 채용하여 기술 도입과 운영을 준비해

야 한다.

나아가, 디지털 트윈 솔루션을 제공하는 기술 업체와 파트너십을 맺거나, 대학이나 연구기관과 협력해 공동 연구 프로젝트를 검토할 필요가 있다.

또, 전사적 차원의 대규모 도입 전에 소규모 시범 프로젝트를 통해 디지털 트윈 기술의 효과를 검증하고, 운영 경험을 쌓은 뒤, 점진적으로 기술을 확장하고, 다양한 영역으로 적용 범위를 넓혀가야 할 것이다.

메타버스 기반의 증강농업이 재조명

우리나라 인구는 정점을 찍었지만, 세계 인구는 앞으로도 수 십 년간 지속적인 증가가 예상된다. UN은 2050년의 전세계 인구를 97억명으로 예측한다. 이는 100년전 인구의 5배를 넘는 규모다. 이에 따라, 향후 식량 수요의 꾸준한 증가가 예상되는 반면, 농업 인구는 계속 감소하고 있고, 농업 현장의 고령화도 급속히 진행되고 있다. 농업의 생산성 혁신이 그 어느 때보다 필요한 시점이다.

■ 재조명되고 있는 증강농업(Augmented Farming)
가상증강현실기술의 발전에 따라 최근 증강농업이 재조명을 받고 있다. 증강농업이란 농사에 증강현실(Augmented Reality)기술을 적용해 생산성을 혁신하는 활동이다.

예를 들어, 농부가 자신의 논과 밭에 해충이나 전염병이 있는지를 알고 싶을 때, 과거에는 경작지 전체를 눈으로 확인해야 했다. 여기에 증강현실기술을 활용하면 정확도를 높이고 시간을 크게 단축할 수 있다. 스마트폰이나 태블릿을 통해 논밭 전체를 추적해 해충과 전염병의 존재를 편리하게 탐지할 수 있기 때문이다.

2013년 'ICT기술을 활용한 지속 가능한 농업'을 주제로 이탈리아에서 개최된 컨퍼런스에서는 온실(Greenhouse) 관련 흥미로운 증강현실 애플리케이션이 발표되었다. 이 앱은 습도 및 온도 센서 네트워크를 이용해 토마토의 회색 곰팡이 균이 발달하기 위한 조건을 인지하고 사용자의 모바일 기기에 알람을 보낸다. 또한, 이 앱은 증강현실을 사용해 온실의 미세한 온도·습도 변화를 실시간으로 시각화하고 곰팡이 성장에 영향을 미치는 환경 조건을 식별한다.

■ **농작물의 이상 유무를 진단하는 플랜트 비전(Plant Vision)**
또 다른 사례로, 2017년 미국의 헉슬리(Huxley)社는 인공지능과 증강현실기술을 활용한 플랜트 비전을 개발했다. 이 시스템은 농장 내에 배치된 적외선 카메라와 RGB 카메라를 통해 농작물의 이상 유무를 검출·진단하고, 원인을 분석해 사용자에게 해결책을 제공하는 농작물 관리시스템이다. 이 시스템을 활용하면 농부는 스마트폰이나 스마트글래스를 통해 수경재배에 대한 다양한 정보를 손쉽게 얻을 수도 있다. 예를 들어, 플랜트 비전을 이용해 재배 중인 농작물의 질병이나 해충 발생 징후를 빠르게 감지하고, 급수 타이밍이나 농작물의 성장 상황을 시각 정보로 얻을 수 있다. 만일, 양상추가 노란색이나 연녹색이 될 경우 AI는 이를 감지하고 필요한 대책을 제안해 준다. 헉슬리는 토마토, 오이와 같은 채소작물 재배에 이 시스템을 활용함으로써, 수확량을 5배 이상 늘릴 수 있을 것으로 기대한다.

농작물의 이상 유무를 진단하는 헉슬리사의 플랜트 비전(Plant Vision)
https://www.visartech.com/blog/how-virtual-and-augmented-realities-help-agriculture/

■ 과학적이고 효율적인 농사를 지원하는 FarmAR

증강현실기술은 토질 검사의 효율성을 높일 수 있다. 한 예로, 네덜란드의 컴퓨터 공학자가 개발한 인공지능과 증강현실 기반의 애플리케이션, FarmAR을 들 수 있다. 클라우드 기반의 이 플랫폼은 농지에 대한 위성 데이터를 수집한다. 따라서 농부들은 이 앱을 활용해 평소 눈으로는 확인하기 어려운 농지와 관련된 다양한 정보를 얻을 수 있다. 또한 이 앱은 인공지능기술을 이용해 긴급하게 관리가 필요한 농지의 위치도 알려줘, 농부들은 더 빠르고 효율적인 의사결정을 할 수 있다. 농지 데이터를 바탕으로 현장에서 불필요한 화학비료 사용량을 줄임으로써 농사에 필요한 시간과 비용을 절약할 수 있고, 농작물을 더 건강하게 키울 수 있다. 또한, 사용자는 위성사진을 저장하여 메모를 추가하고, 과거와 현재의 사진들을 비교하고 분석할 수도 있다.

과학적이고 효율적인 농사를 지원하는 FarmAR은 클라우드 기반 플랫폼이다. 토지에 대한 위성 데이터를 수집한 후 인공지능을 통해 긴급한 조치가 필요한 토지 위치를 알려준다.
https://arpost.co/2019/01/18/how-augmented-reality-could-revolutionize-farming/

최근 국내에서도 농기계 운전법 교육, 농축산 관련 홍보 등 농업에 메타버스를 활용하고자 하는 다양한 시도들이 나타나고 있다. 한 스타트업은 증강현실 기반 실시간 버섯 생육관제 시스템을 개발하기도 했다. 그러나, 농업 현장의 생산성 혁신을 위한 실질적인 활용 사례는 아직 찾아보기 어렵다. 미래는 식량의 중요성이 더욱 커지는 식량 전쟁의 시대다. 앞으로 메타버스 기술이 농업 현장 곳곳에 활용되어 농업 생산성을 혁신할 수 있도록 정부 차원의 더 많은 연구개발과 지원이 필요할 것이다.

제4장 식음료산업,
'AR라벨'로 소비자 유혹!

상품의 얼굴이자 각종 정보를 제공하는 상품 라벨. 그 역사는 언제부터 시작되었을까?

라벨의 역사는 고대 이집트 시대로 거슬러 올라간다. 왕들의 무덤에서 발견된 와인 용기에는 와인 품종, 생산연도, 생산지, 생산자 등의 정보가 간략히 표시되었다고 한다. 하지만, 라벨의 본격적인 활용은 18세기 후반 규격화된 유리병이 등장하면서부터다. 여기에 라벨을 대량 인쇄할 수 있는 기술과 병 위에도 잘 붙는 풀이 발명되면서 급속히 확산됐다.

그 후 다품종소량생산시대가 되자, 상품 라벨은 소비자들이 상품에 대한 기본 정보와 다른 상품과의 차별점을 한눈에 확인할 수 있는 중요한 수단이 되었다.

최근 이런 상품 라벨에 증강현실기술을 적용한 'AR 라벨'이 기업들의 마케팅 수단으로 부상하고 있다. 'AR 라벨'은 라벨의 기본적인 역할은 물론, 시각적 재미까지 제공해 소비자들의 호기심을 자극할 수 있기 때문이다.

작동방식은 간단하다. 소비자가 스마트폰으로 해당기업의 AR 앱을 다운로드받은 후, 상품 라벨을 스캔하기만 하면 된다. 소비자는 화면을 통해 해당기업이 제공하는 생생한 영상을 볼 수 있다. 물론, 기업은 사전에 영상 콘텐츠와 앱 개발이 필요하다.

현재 AR 라벨을 가장 활발히 활용하고 있는 업계는 식음료산업이다. 글로벌 식음료 브랜드의 AR 라벨 활용 사례를 유형별로 살펴보자.

■ 신상품과 신브랜드 홍보를 위한 정보 제공

식음료 브랜드들이 AR 라벨을 활용하는 첫 번째 유형은 신상품과 신브랜드에 대한 의미있는 정보를 소비자들에게 흥미롭게 제공하는 것이다.

이탈리아의 파스타 소스 브랜드 프란체스코 리날디가 대표적인 사례다. 이 회사는 2018년 친환경 용기로 포장한 신상품(유기농 파스타 소스)을 출시하면서 그 의미를 AR 라벨을 통해 소비자들에게 전달했다. 소비자들이 AR 라벨을 작동시키면 브랜드 마스코트인 리날디 부인이 등장해 자사의 유기농 소스가 건강에 얼마나 유익한지, 또 친환경 PET 용기가 환경보호를 위해 얼마나 필요한 것인지를 설명해준다. 이 회사의 AR 라벨은 소비자들로부터 뜨거운 반응을 얻었고 파스타 소스 시장에 신선한 충격을 주었다.

또 다른 예로, 호주의 와인 브랜드 19크라임스를 들 수 있다. 이 와인 브랜드는 와인 라벨에 1800년대 호주로 강제 추방된 영국 죄수들의 빈티지 사진을 담았다. 이들은 당시 영국 형법상 19가지 범죄 중 하나를 저지른 범죄자였지만, 오늘날의 호주를 건설하는 데 힘을 보탠 그들의 역사를 알리기 위함이라고 한다. 소비자들이 AR 앱으로 라벨에 인쇄된 죄수를 찍으면 그 죄수의 이야기를 짧은 애니메이션으로 볼 수 있다. 이 브랜드는 소비자들에게 브랜드의 숨겨진 의미를 흥미로운 방식으로 전달하면서 강력한 마케팅 효과까지 얻었다. 이를 통해 19크라임스의 브랜드가치는 70% 상승했고, 판매량도 60% 증가했다고 한다.

https://www.ptc.com/en/case-studies/augmented-reality-19-crimes-wine

■ 상호작용을 통한 게임과 재미 추구

식음료 브랜드가 AR 라벨을 활용하는 두 번째 유형은 상호작용을 통한 게임과 재미 추구다.

미국의 대표 와이너리 생 미셸은 2018년 신제품 레드와인 (Intrinsic)의 브랜드 인지도를 높이고 판매를 촉진할 목적으로 AR 라벨을 활용했다. 소비자들이 AR 라벨을 작동시키면, 빨간색 무용복을 입은 아름다운 여인이 라틴음악에 맞춰 춤을 추는 모습을 볼 수 있다. 또 소비자들은 그 여인과 함께 춤을 즐길 수 있고, 그 장면을 캡처해 소셜 미디어에도 공유할 수 있다.

https://udiga.com/intrinsic-cabernet-sauvignon/

펩시코 역시 신제품에 대한 글로벌 소비자의 관심을 끌기 위해 4명의 축구 수퍼스타가 등장하는 AR 기반의 캠페인을 전개했다. 소비자들이 펩시의 AR 앱을 작동시키고 신제품 캔을 스캔하면 스마트폰으로 메시, 포구바, 살라, 스털링 등의 AR 이미지를 볼 수 있고, 그들과 축구 게임도 할 수 있다. 또한, 게임이 종료된 후 게임 결과를 인스타그램을 통해 친구들과 공유할 수 있다.

■ 판매상품의 요리·조제법 제공

식음료 기업들이 AR 라벨을 활용하는 마지막 유형은 해당상품을 취향에 맞게 요리·조제할 수 있는 방법을 제공하는 것이다. 이 방식은 종이로 만든 설명서를 대신하면서 소비자들의 흥미를 유발한다.

전통적인 스카치 위스키 브랜드 글렌리벳은 매년 6백만 병 이상의 위스키를 생산하며 상업적으로 많은 성공유산을 쌓아왔다. 그러나 핵심 위스키만 해도 13종이 넘어, 일반 소비자들은 종종 제품 간의 차이점을 알 수 없었다. 이에, 이 회사는 위스키 애호가들이 각 제품의 다양한 맛을 음미할 수 있도록 도와주는 AR 앱을 론칭했다. 소비자들이 AR 라벨을 작동시키면 애니메이션으로 만들어진 시각자료와 수천 가지 맛을 음미할 수 있는 시음법에 대한 콘텐츠를 볼 수 있다. 또한, 이 앱은 소비자들이 자신의 시음경험을 소셜 미디어에 공유하여 다른 사람들과 비교할 수 있도록 하는 재미 요소도 갖추었다.

또 다른 예로, 대표적인 진 브랜드 봄베이 사파이어는 AR 라벨을 통해 상품에 함축된 가치를 전달하고 브랜드에 대한 참여도를 높였다. 소비자들이 스마트폰 카메라를 활용해 봄베이의 라벨을 스캔하면 상호작용을 통해 세 가지의 색다른 칵테일 조제법을 흥미롭게 만날 수 있다.

■ **고객에게 어필할 수 있는 스토리텔링이 핵심성공요인!**

글로벌 식음료 기업들이 AR 라벨을 활용하는 목적은 스마트폰과 SNS에 익숙하고 재미를 추구하는 MZ세대를 대상으로 한 마케팅이다.

한때 국내에서도 AR 라벨의 활용 사례가 몇몇 등장했었지만, 아쉽게도 최근에는 그 사례를 찾아보기 어렵다. 반면, 해외의 경우 활용 사례가 꾸준히 등장하고 성공사례도 많다.

그렇다면, 글로벌 기업들이 AR 라벨을 활용해 성공할 수 있었던 요인은 무엇일까? 딱 하나를 꼽으라면 필자는 단연 '소비자의 흥미를 유발할 수 있는 매력적인 스토리텔링'이라고 답하겠다.

네덜란드의 한 철학자는 현대인을 '호모루덴스'라고 주장한다. 이들에게는 재미가 삶의 일부이자 문화다. 특히, 주력 소비층으로 떠오른 MZ세대의 경우는 더욱 그렇다. 글로벌 기업들의 성공요인을 참조해, 국내 기업들도 앞으로 꾸준히 성공사례를 만들어내길 기대해본다.

제5장 외식업계,

스토리를 입힌 경험을 팔아라!

1998년 하버드비즈니스리뷰에는 '경험 경제로 오신 것을 환영합니다(Welcome to the Experience Economy)'라는 논문이 실렸다. 이 논문의 저자들은 "서비스 경제의 뒤를 이어 경험 경제가 도래하고 있다"고 말하며, "경험 경제에서 소비자들은 기억에 남을 만한 개인화된 경험에 높은 댓가를 지불할 의사가 있기 때문에 기업들은 고객들에게 자신들의 제품, 서비스와 함께 매력적인 경험을 제공함으로써 차별화할 수 있다"고 주장하여 큰 호응을 얻었다.

그로부터 20여 년이 지난 오늘날, 소비자에게 기억에 남을 만한 좋은 경험을 주는 브랜드가 사랑을 받는, '경험 경제'가 소비재와 서비스산업을 중심으로 널리 확산되었다.

최근, 외식업계에서도 고객들에게 환상과 재미를 제공하는 레스토랑이 등장해 인기다. 이들은 음식의 품질은 기본이고 AR, VR 등 실감기술을 활용해 식사 과정에서 흥미롭고 재미있는 경험을 서비스한다.

■ 세계에서 가장 비싼 식당, 서블리모션의 성공비결은 환타지 경험 제공

서브리모션(Sublimotion)은 2014년 스페인 이자스섬에 문을 연 세계에서 가장 비싼 레스토랑 중 하나다. 이 식당은 하이테크와 가상현실로 제작한 캡슐이라는 공간에서 손님들에게 모험적이며, 초현실적인 식사 경험을 제공한다.

https://veebrant.com/sublimotion-ibiza/

환상적인 시청각 연출을 위해 건축가, 디자이너, 엔지니어, 시나리오 작가들이 함께 아이디어를 모았다. 식당을 방문한 고객들은 바다 속과 하늘 위로 펼쳐지는 20세기의 과거 모습에서부터 2050년의 미래 저녁 만찬에 이르기까지 다양한 장소와 시간을 여행하면서 3시간 동안 화려한 연회를 즐길 수 있다. 식사 중간에는 VR 헤드셋을 착용한 채 스카이다이빙을 하고 경관 좋은 장소를 여행하기도 한다. 와인과 샴페인을 곁들인 20개의 코스요리 식사비용이 1인당 2,400달러(300만원+)에 달하지만 예약 고객이 끊이지 않을 정도로 인기를 얻고 있다.

■ 五感 서비스 레스토랑, 트리 바이 네이키드(Tree by Naked)
도쿄 요요기 공원 근처에 위치한 트리 바이 네이키드는 일본에서 가장 유명한 VR 레스토랑이다. 2017년 문을 연 이 레스토랑은 일본의 유명 시각예술가가 설계했다. 3층짜리 건물에 자리 잡은 이 식당은 저녁에만 문을 열고, 인당 1.5만엔의 코스요리만 판매한다(하루 저녁 최대 16명까지 2회만 예약 가능).

이 식당의 특징은 인간의 오감과 가상현실을 결합한 코스요리 서비스. 손님들은 음식과 접시 위에 예술적인 이미지가 투영(Projection)된 환상적인 음식을 제공받는다. 식탁 위에 투영된 물고기를 살짝 건드리면, 꼬리를 흔들며 헤엄친다. 분위기에 맞게 비춰주는 조명과 연기는 품위를 더해 준다. 메인코스는 1층에서, 디저트는 2층에서 제공돼 층을 옮겨야 하는 번거로움도 손님들은 기꺼이 감수한다.

■ 초현실적인 체험으로 고객 재방문 유도

시카고 다운타운의 한 호텔에 위치한 레스토랑, 뱁티즈앤보틀 (Baptise&Bottle)은 한 잔에 95달러나 하는 아주 특별한 칵테일을 판매한다.

이 칵테일을 주문하면 웨이터는 평범해 보이는 칵테일 잔과 초록색 이끼와 풀잎으로 가득 찬 나무상자에 놓여진 VR 헤드셋을 건네준다. 술의 증류과정과 칵테일이 얼마나 희귀한 것인지에 대한 직원의 설명이 끝나고 나면, 고객은 VR 헤드셋을 착용하게 된다. 직원들이 칵테일을 만드는 동안 고객들은 헤드셋을 쓴 채로 쉐리향과 스카치향이 섞인 가상현실의 증류소를 거니는 신선한 경험을 하게 된다. 이 특별한 경험 후 고객들은 칵테일을 마실 수 있다.

https://www.foodbeast.com/news/spirits-virtual-reality-journey/

런던에 위치한 시티소셜(City Social)은 칵테일을 마시면서 새로운 차원의 경험을 할 수 있는 유명 레스토랑이다. 이 레스토랑에는 고객들이 칵테일을 다양한 방식으로 즐길 수 있는 특별 메뉴가 있다. 미라지(Mirage)이라고 불리는 이 메뉴를 주문하기 위해서 고객은 앱을 다운로드 받아야 한다. 그 다음, 주문한 메뉴와 함께 따라 나오는 글라스 받침대를 스마트폰 카메라로 스캔하면, 메뉴에 따라 팝 아트에서 피카소까지 다양한 예술 작품을 즐기고 SNS를 통해 공유할 수 있다. 미라지는 증강현실 기술을 활용해 고객들의 칵테일 경험을 향상시키는 엔터테인먼트 칵테일 메뉴로 호평받고 있다. 이 레스토랑은 미라지 AR을 통해 기존 고객의 방문 빈도를 증가시켰을 뿐만 아니라, 새로운 고객까지 유치할 수 있었다.

https://www.avinteractive.com/news/virtual-augmented-mixed/world-first-ar-cocktail-menu-turns-drinking-into-an-art-25-04-2017/

■ 고객을 사로잡을 스토리텔링 된 경험이 중요

앞의 사례들에 대해 모험을 즐기는 일부 식당업주들의 사치스러운 실험에 불과하다고 생각하는 사람들도 있을 것이다. 하지만, 해외에서는 실감기술을 활용해 독특한 경험을 제공하는 외식업체 사례가 의외로 많다. 그렇다면 어떤 경험을 제공해야 고객들이 만족할 수 있을까?

'음식은 혀가 아닌 뇌가 맛보는 것'이라고 주장하는 찰스 스펜스 교수(옥스포드대 통합감각연구소장)로부터 해답을 찾아보자. 그는 감자칩을 씹을 때의 '바삭' 하는 소리가 감자칩을 15% 더 맛있게 느끼게 한다는 연구를 통해 이그노벨상(괴짜 과학자의 노벨상)도 받았다. 식사 중 오감 체험도 그의 연구 분야 중 하나다. 스펜스 교수의 연구팀은 최근 글로벌 호텔 기업들과 AR, VR 등의 실감기술과 이미지, 음악, 향기 등을 활용한 식탁이 맛에 미치는 영향에 대해 연구를 했다. 그 결과, 고객들에게 만족스러운 식사 경험을 제공하기 위해서는 스토리텔링이 중요하다는 사실을 알게 되었다.

미국의 경우, 밀레니얼 세대가 인구의 25%나 되고 그들의 소비력은 약 6,000억 달러에 달하는 것으로 알려져 있다. 그들은 상품이나 서비스를 소비할 때 SNS를 통해 친구들과 공유할 수 있는 색다른 체험을 중요하게 생각한다. 이는 우리나라 밀레니얼 세대에게도 예외는 아니다. 그들을 사로잡기 위해서는 그들의 문화에 맞는 스토리텔링 된 경험을 고민해야 할 것이다.

실감기술을 활용한 외식업체들의 경험 마케팅은 새로운 음식문화 창조라는 관점에서 긍정적이다. 하지만, 첨단 실감기술을 활용하는 데는 아직 비용이 만만치 않다. 회사가 감내할 수 있는 범위에서 적절한 투자가 필요하다. 마지막으로, 외식업의 기본은 음식의 맛과 친절한 서비스에 있다는 사실 또한 잊지 말아야 할 것이다.

제6장 엔터테인먼트산업,
아바타에서 새로운 기회를 찾다!

2009년 개봉해 지금까지 전 세계 박스오피스 1위를 차지하고 있는 영화가 있다. 제임스 카메론 감독의 SF영화 '아바타(Avarta)'가 그 주인공이다. 흥행수입만 무려 28억 4천만달러에 달하고, 국내에서도 1,360만명 이상이 관람한 블록버스터였다. 이 영화에서 아바타는 인간과 외계행성 원주민(나비족)의 유전자를 결합해, 외모는 나비족이지만 사람이 원격조정할 수 있는 새로운 생명체였다. 최첨단 3D 영상기술로 화려한 가상공간과 아바타를 구현해 메타버스를 설명할 때마다 인용되는 대표적인 영화다.

아바타의 어원은 '인간 세계로 내려온 신의 육체적 형태'를 뜻하는 산스크리트語 '아바타라'이며, 메타버스 세상에서는 사용자의 분신을 의미한다. 아바타는 아이콘, 그래픽, 3차원 영상 등 다양한 형태로 표현할 수 있다. 최근 국내외 방송에서 아바타를 이용한 새로운 형식의 예능 프로그램이 신선한 바람을 일으키고 있다.

■ 중국의 아바타 아이돌 오디션 프로그램 '디멘션 노바'

2020년 말 중국에서는 '디멘션 노바(Dimension Nova, 跨次元新星)'라는 예능 프로그램이 큰 인기를 끌었다. 10부작으로 구성한 이 프로그램은 중국판 넷플릭스 아이치이(IQIYI)를 통해 방영됐고, 3.9억명 이상이 시청했다. 디멘션 노바는 애니메이션 형태의 아바타가 참가자로 출연해 심사위원과 관객들 앞에서 다양한 장르의 퍼포먼스를 경쟁하는 서바이벌 예능 프로그램이었다. 150명이 넘는 후보 중 1차 오디션을 통해 선발된 31명의 본선 진출 아바타들이 최종 우승자를 가리기 위해 매주 치열한 경쟁을 하며 화제를 모았다.

https://www.bbc.com/zhongwen/simp/chinese-news-55069813

'디멘션 노바'는 현실 세계와 가상 현실을 융합해, 이전의 예능 프로그램에서는 볼 수 없던 참신한 콘텐츠를 제공했다는 호평이 많았지만, 잦은 방송 실수, 어색한 아바타 표현 등으로 아바타 아이돌은 시기상조라는 네티즌들의 부정적인 반응도 만만치 않았다.

■ 미국의 아바타 노래 경연 '얼터 에고'

美 폭스TV는 2021년 9월부터 아바타가 출연하는 노래 경연 프로그램 '얼터 에고(Alter Ego)'를 방영했다. 11부작으로 구성한 이 방송은 최첨단 모션캡처기술로 제작된 아바타가 관객과 심사위원 앞에서 노래를 부르고, 탈락한 아바타의 실제 출연자가 정체를 드러내는 방식으로 진행되었다. 우리나라의 복면가왕과 비슷한 형식으로, 총 20명의 아티스트와 그의 아바타가 출연했다. 14대의 트레킹 카메라가 무대 뒤에서 공연하는 아티스트의 움직임을 빠짐없이 촬영하여, 컴퓨터 시스템을 통해 관객과 심사위원들 앞에 3차원 아바타의 모습을 실감 나게 보여준다. 무대 뒤에서 공연하는 아티스트가 울면 아바타도 울음을 터뜨리고, 춤을 추거나 머리를 만지면 아바타가 그대로 움직인다. 관객들은 인간처럼 행동하는 아바타와 자연스럽게 교감하며 공연에 몰입할 수 있었다. 이 예능 프로그램은 기대만큼의 높은 시청률을 기록하진 못했지만, 현실 세상의 관객 앞에서 정교하게 움직이는 디지털 아바타의 공연 장면은 상상 이상의 신선함을 주었다.

■ SM엔터테인먼트의 아바타 걸그룹 아이-에스파

앞의 두 사례와는 성격이 좀 다르지만, 2021년 말 우리나라의 대
표 엔터테인먼트 기업 중 하나인 SM은 아바타와 함께 활동하는
다국적 4인조 걸그룹 에스파(aespa)를 선보였다.

에스파는 현실 세계의 멤버들과 가상 세계의 아바타들이 공존한
다는 독특한 세계관을 내세우며 데뷔 1년 만에 각종 음원 차트에
서 상위권에 올랐다. 에스파의 멤버는 4명이지만 때로는 그들의
아바타와 함께 8명이 공연한다. 각 아바타의 이름은 멤버 개개인
의 이름 앞에 '아이(æ)'를 붙이고, 아바타들로만 구성된 걸그룹은
아이-에스파(æ-aespa)로 부른다.

가상 세계에 존재하는 아이-에스파는 시간과 공간의 제약을 받
지 않기 때문에 현실 세계의 에스파가 활동하지 못하는 영역에서
도 활동 가능하다는 콘셉트이다. 기성 세대에게는 낯선 설정이지

만, 메타버스 시대에 대응한 엔터테인먼트 업계의 새로운 시도임에 분명하다.

■ 아바타, 엔터테인먼트업계의 뉴비즈니스 창출에 기여 가능성

최근 MZ세대에서 '부캐(부 캐릭터) 문화'가 유행하고 있다. 부캐는 '본 캐릭터'와는 다른 자신의 두 번째 캐릭터를 의미한다. 메타버스 세상에서 자신의 아바타를 통해 온라인 커뮤니티에 참여하고 친구들과도 소통하는 것은 부캐 문화의 대표적인 사례다.

향후 아바타 마켓의 성장 잠재력은 매우 높아 보인다. 시장조사 기관 NEWSIJIE(新思界)는 2023년 중국의 가상 아이돌 시장을 15억 위안(약 2,800억원)으로 전망한다. 이는 5년 전과 비교해 15배 성장한 규모다. 따라서, 아바타를 활용해 예능 프로그램의 새로운 장을 열고자 하는 엔터테인먼트 업계의 다양한 시도는 MZ 세대의 문화를 반영한 콘텐츠의 신선함에 더해 뉴비즈니스 창출이라는 면에서 긍정적으로 평가된다.

제7장 소매유통업,

가상매장의 확산에 주목할 때!

가상증강현실기술의 발전에 따라 가상매장(Virtual Store)에 대한 관심이 높아지고 있다. 가상매장이란 증강현실(AR), 가상현실(VR) 등 실감기술을 활용해 구축한 가상의 쇼핑공간을 말한다. 소비자들은 언제 어디서든 가상매장에 방문해 실제 매장처럼 판매상품을 꼼꼼하게 살펴볼 수 있다. 또한, 의류, 장신구, 신발, 안경 등을 착용하거나 화장품을 사용한 모습을 가상으로 확인할 수도 있다.

실제와 유사한 쇼핑 경험을 제공할 수 있는 장점 때문에 가상매장의 성장세는 앞으로도 지속할 것으로 보인다. 글로벌 IT시장 조사기관 IDC(2020)는 2024년 기업들의 가상매장에 대한 투자가 27억 달러에 달할 것으로 전망한다. 또 다른 연구에서는 패션산업의 스마트 AR미러와 가상 의류피팅 등을 중심으로 한 AR기반 가상매장의 시장규모는 2026년 46억달러에 이를 것으로 예측한다 (Valuates Reports, 2020). 이는 지금부터 매년 20%씩 고성장한 결과다.

한편, 액센추어(2020)의 조사에 따르면, 미국 소비재 브랜드의 64%가 실감기술에 대한 투자를 적극적으로 계획하고 있는 것으로 나타났다. 이처럼 국내 유통산업이 가상매장에 주목해야 할 이유는 충분하다.

■ 가상매장의 유형과 사례

가상매장은 구체적으로 어떻게 분류할 수 있을까? 신기술을 활용한 새로운 형태의 메타버스가 수시로 등장하는 현시점에서 가상매장의 유형을 명확히 규정하기란 쉽지 않다.

2021년5월, 소프트웨어정책연구소(SRPi)는 "XR쇼핑의 동향과 나아갈 길"이라는 보고서를 발간했다. 여기서 XR은 AR, VR을 포함한 eXtended Reality 기술을 의미한다. SPRi는 소비자가 체험할 수 있는 경험을 기준으로, 가상매장을 가상방문, 가상경험, 테스트·착용, 세부 정보 시각화, 맞춤형 추천 등으로 구분했는데, 가상매장의 구축에 관심이 있는 유통기업이라면 눈여겨봐야 할 내용이다.

'가상방문'은 매장을 직접 방문하지 않더라도 그에 준하는 쇼핑경험을 안전하고 편리하게 제공하는데, 디오르와 나이키의 VR스토어가 여기에 해당한다. 방문고객들은 실제 매장처럼 상품의 형태와 특성을 세부적으로 살펴볼 수 있다.

'가상경험'은 매장을 직접 방문하더라도 경험하기 어려운 상황을 가상으로 구성해 고객의 구매 의사결정에 도움을 준다. 예를 들어, 오프라인의 자동차 전시장은 공간의 한계로 다양한 차종을 구비할 수 없지만, 실감기술을 활용하면 전시장에 없는 차종의 모델이나 색상, 휠 등 세부 옵션의 외형까지 확인할 수 있다.

또한, 구매자가 제품을 시험 착용하거나 가상으로 배치해 자신의 기호와 일치하는지 확인할 수 있게 해주는 '테스트·착용', 구매의사결정에 도움을 주는 다른 고객의 리뷰, 제품의 배경 스토리 등에 대한 '세부 정보의 시각화', 자신에 맞는 '맞춤형 추천' 등을 가상매장에서 경험할 수 있다.

< 경험 분류에 따른 가상매장의 유형 >

경험 분류	XR 적용 효과	서비스 유형	사례
가상방문	직접 방문 없이 비대면 방식으로 매장의 물리적 공간감과 제품에 대한 친근감 부여	VR가상투어	디오르 VR스토어 나이키 VR스토어
가상경험	물리적으로 제공되지 않는 제품의 세부 옵션을 변경하고 고객이 경험하게 함으로써 상품 구매 시 선택의 폭을 확대	VR가상경험	아우디 차량 가상체험
테스트· 착용	제품을 사용·착용한 모습을 가상으로 구현해 구매자에게 직접 경험의 기회를 주고 제품에 대한 신뢰도 제고	AR핏, AR플레이스	구글 AR 가상 메이크업
세부 정보 시각화	가상방문 뿐만 아니라, 오프라인 방문 시에도 제품에 대한 스토리, 리뷰, 비교 등 추가 정보를 바로 시각화함으로써 구매 결정에 도움	VR가상투어, AR렌즈	봄베이 사파이어 (칵테일 리시피 AR콘텐츠)
맞춤형 추천	시선 추적, 체류 기간, 스캔한 공간, 제품 부위별 관찰 시간 등 세부 정보에 기반해 상품 추천의 정확도 향상	대부분 해당	IKEA 플레이스

자료: 소프트웨어정책연구소(2021.5), "XR쇼핑 동향과 나아갈 길"

■ 업종별 가상매장의 성숙도

그렇다면 가상매장의 구축 효과는 모든 소비재 산업에서 동일할까? 이에 대한 해답은 한 글로벌 연구기관이 제시하고 있다.

딜로이트(2020)는 증강현실기술을 활용한 가상매장의 성숙도를 연구해 발표했다. 딜로이트의 연구는 AR 기반의 가상매장에 집중했는데, 화장품, 자동차, 가구, 메이크업 등의 제품이 가장 효과가 있으며, 이미 확산단계에 들어섰다고 판단한다. 신발, 보석, 안경 및 개인용 장신구 등은 기술적 성공 초기 단계에 있는 것으로 나타났으며, 의류나 전자제품의 경우 실험단계로 판단하고 있다. 우리나라 유통기업들이 가상매장을 구축할 때 참고할 만한 연구결과다.

< 업종별 가상매장의 성숙도 >

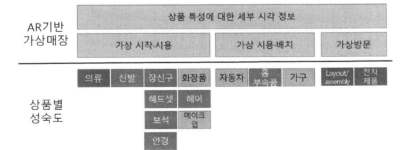

자료: Augmented Shopping: The Quiet Revolution, Deloitte, 2020

■ **국내의 현황과 과제**

국내에서도 '가상방문'과 '테스트·착용'을 중심으로 가상매장의 도입이 늘고 있다. 하지만, 다양하고 흥미로운 경험을 제공하면서 진화하고 있는 글로벌 가상매장과 비교할 때, 국내의 가상매장은 내용 면에서 보완할 부분이 적지 않다. 하지만, 쇼핑의 문화적 배경과 관련 산업 생태계의 차이가 있어 모든 면을 똑같이 만들 필요는 없다.

단, 상품별 가상매장의 성숙도를 고려하고 고객지향의 관점을 유지하는 것이 중요하다. 가상매장에서 판매할 상품별로 실감기술이 줄 수 있는 경험 효과를 고객 관점에서 검토해, 고객이 편리하게 자주 방문할 수 있는 가상매장 구축에 방점을 두어야 할 것이다.

디지털 트윈으로 경영방식 혁신

최근, 글로벌 소매유통 기업들은 이 기술을 다양한 운영 활동에 적용하여 전통적인 경영방식을 새롭게 바꿔나가고 있다.

■ **아마존(Amazon), 디지털 트윈을 활용해 '재고 관리와 공급망 운영의 최적화' 실현**

소매유통 기업들이 디지털 트윈을 활용해 혁신하고 있는 대표적인 분야는 '재고 관리와 공급망 운영의 최적화'다. 소매유통 기업은 이 기술을 기반으로 상품의 재고 수준, 위치, 상태 등을 실시간으로 모니터링하고, 재고 부족이나 과잉 재고를 예방하며, 배송 및 보관 비용을 줄일 수 있다.

디지털 트윈 기술을 물류센터에 도입한 아마존(Amazon)이 좋은 예다. 아마존의 물류센터에서는 수많은 상품이 입고, 보관, 출고되는데, 이 회사는 디지털 트윈을 활용해 각 상품의 위치와 수량을 실시간으로 모니터링하고 있다. 이를 통해 물류센터의 직원들은 상품 위치를 빠르게 파악하고 필요한 아이템을 신속하게 찾아내며, 재고 수준을 정확히 예측하여 적절하게 유지할 수 있다.

또, 아마존은 디지털 트윈을 활용하여 공급망의 다양한 시나리오를 시뮬레이션하고, 이를 바탕으로 잠재적인 공급망 문제에 대한 대응책을 사전에 준비하고 있다. 예를 들어, 특정 제품의 수요가 갑자기 증가할 경우, 공급망을 어떻게 조정해야 효과적으로 대응할 수 있는지를 예측하고 대응방안을 마련한다.

아마존 외에도, 타깃(Target), 베스트 바이(Best Buy), 이케아(IKEA) 등은 디지털 트윈 기술을 활용하여 재고비용을 절감하고 공급망 운영을 최적화하는 기업사례로 손꼽힌다.

■ 월마트(Walmart), 매장 레이아웃, 상품 배치, 에너지 관리 등 '매장 운영 최적화'에 디지털 트윈 활용

글로벌 소매유통 기업들이 디지털 트윈을 활용해 혁신하고 있는 또 다른 분야는 '매장 운영의 최적화'다. 소매유통 기업은 물리적 매장의 디지털 트윈을 구현함으로써 매장 내 고객의 동선, 제품 배치의 효과, 매장 환경(예: 조명, 온도 등)에 대한 데이터를 수집·

분석하고, 이를 기반으로 매장의 레이아웃과 판매 전략을 효과적으로 조정할 수 있다.

예를 들어, 월마트(Walmart)는 디지털 트윈을 활용하여 실제 고객의 매장 내 동선을 추적·분석하고, 상품의 가시성과 구매 가능성을 높이는 매장 및 상품 배치를 결정한다. 또한, 계절별 행사 또는 주요 이벤트를 위한 매장의 변경 사항을 다양하게 시뮬레이션하여 최적의 배치를 찾아내기도 한다. 이와 함께, 월마트는 매장의 조명, 난방, 냉방 시스템 등 에너지 소비 패턴을 추적·분석하여, 에너지 관리 비용을 절감하는 데 디지털 트윈 기술을 사용한다.

한편, 홈 디포(Home Depot), 세포라(Sephora), 로우스(Lowe's) 등의 소매유통 기업들도 매장 디자인과 고객 서비스 프로세스 개선을 위해 디지털 트윈을 활용하고 있다.

■ 테스코(Tesco), 노드스트롬(Nordstrom) 등은 디지털 트윈을 활용해 '수요 예측과 대응 계획 수립'에서 효과를 얻고 있어..

또한, 글로벌 소매유통 기업들은 디지털 트윈을 도입해 '수요 예측과 대응 계획 수립'을 효과적으로 추진하고 있다.

영국의 대형 소매업체인 테스코(Tesco)가 대표적인 예다. 이 회사는 디지털 트윈 기술을 통해 수요 변화를 더 정밀하게 예측하고, 이에 대응하는 공급망 및 재고 관리 전략을 효율적으로 설계하고 있다. 테스코는 판매 데이터, 고객 구매 패턴, 계절 변화, 마케팅 활동 및 경제적 요인 등 다양한 데이터 소스를 활용해 디지털 트윈 모델을 구축한다. 그후, 특정 이벤트나 계절 변화에 따른 수요를 예측해 상품의 주문, 제조, 배송 일정을 최적화하고, 예상치 못한 수요 급증이나 공급 지연 상황에 대비한 대응 계획을 사전에 수립한다.

또 다른 예로, 디지털 트윈 기술을 사용하여 패션 소매 분야에서 수요 예측과 대응 계획 수립을 효과적으로 추진하고 있는 노드스트롬(Nordstrom)을 들 수 있다. 이 회사는 고객 구매 데이터, 패션 트렌드, 계절 변화, 그리고 소셜 미디어 분석 등 다양한 데이터 소스를 통합하여 디지털 트윈 모델을 구축한다. 그리고, 이를 바탕으로 패션 아이템의 미래 수요를 예측하여, 인기 상품을 적시에 적절한 수량으로 준비하고 있다.

■ 디지털 트윈은 '개인화된 마케팅 전략 수립'에도 유효한 도구

디지털 트윈은 소매유통 기업이 '개인화된 마케팅 전략 수립'에 활용할 수 있는 효과 높은 도구이기도 하다.

예를 들어, 나이키(Nike)는 디지털 트윈을 활용해 고객의 쇼핑 패턴과 선호도를 분석해 맞춤형 제품을 추천하고, 개인화된 마케팅 전략을 수립하여 고객 만족도를 향상시키고 있다. 스타벅스(Starbucks)는 고객의 구매 패턴과 매장 내 체류 시간을 분석해 개인화된 마케팅 전략과 매장 경험을 제공하고 있으며, 맥도날드(McDonald's)는 고객의 주문 패턴을 분석하여 빠른 서비스 제공과 맞춤식 메뉴 추천에 디지털 트윈 기술을 활용한다.

■ 국내 기업은 높은 초기 비용, 기술적 복잡성, 데이터 보안 등의
  한계를 고려해 점진적으로 추진

디지털 트윈 기술은 소매유통 기업에 많은 혜택을 줄 수 있지만, 도입 시 여러 한계와 문제점을 고려해야 한다.

먼저, 높은 초기 비용과 기술적 복잡성이 주요 장애물로 작용할 수 있다. 또, 대량의 데이터 관리와 보안도 중요한 고려 사항이다. 따라서, 디지털 트윈을 도입하려는 국내 소매유통 기업들은 소규모 프로젝트로 시작해 점진적으로 확장하는 단계적 접근 방식을 따라야 한다.

또한, 소매유통 기업은 데이터를 안전하게 처리하고 보호할 수 있는 체계를 마련해야 한다. 마지막으로, 디지털 트윈은 현실을 완벽하게 반영하지 못할 수 있어, 모델의 정확성을 지속적으로 검토하고 개선하는 작업을 반드시 수행해야 할 것이다.

제8장 패션산업,

'메타버스 마인드셋'을 입다!

2022년 4월, 맥킨지는 글로벌 패션업계의 최고경영자, 임원, 전문가들을 대상으로 한 인터뷰와 설문을 통해 패션산업에 중대한 영향을 미칠 10대 트렌드를 발표했다. 그 중 필자의 눈길을 끈 것은 '메타버스 마인드셋(Metaverse Mindset)'이라는 트렌드다.

영문 그대로는 '메타버스에 대한 긍정적인 마음가짐' 정도로 해석할 수 있겠는데, 그 내면에는 가상 세계를 단순히 마케팅 채널의 하나로만 볼 것이 아니라 수익 확대를 위한 새로운 기회로 활용해야 한다는 의미를 담고 있다. 코로나19 팬데믹으로 소비자들의 사회 활동이 줄어들고, 이에 따라 의류 등 패션상품에 대한 수요도 감소하자 글로벌 패션 브랜드들이 메타버스에서 새로운 활로를 찾고 있는 모습이다.

이러한 현상은 특히, MZ세대를 주고객으로 한 명품 브랜드에서 두드러지게 나타난다. 글로벌 패션업계의 메타버스 활용 동향을 좀 더 구체적으로 살펴보자.

■ 전통 명품 브랜드, 실제와 유사한 모습의 가상 쇼룸 개설

그 첫 번째 움직임은 오프라인 매장을 직접 방문하지 않더라도 그에 준하는 쇼핑 경험을 안전하고 편리하게 제공할 수 있는 가상 매장을 구축하는 것이다.

돌체앤가바나(Dolce & Gabbana)의 버추얼 부티크가 대표적인 사례다. 이 브랜드는 파리 생토노레 지역에 위치한 플래그십 스토어를 비롯해 로마, 멜버른, 오사카, 마이애미 등 세계 주요 도시의 오프라인 매장을 가상현실로 구현했다. 이 버추얼 부티크는 실제 매장과 구조, 상품배치는 물론 내부 인테리어까지 똑같다. 방문객들은 마치 실제 매장을 둘러보듯, 가상 쇼룸에 전시된 상품들을 살펴볼 수 있다. 이에 더해, 미니 인형으로 만들어진 디자이너 도미니코 돌체와 스테파노 가바나가 직접 안내하는 돌체앤가바나의 아틀리에 가상 투어는 또 다른 재미를 선사한다.

이탈리아의 명품 브랜드 펜디(Fendi)는 압구정동 갤러리아 백화점 1층에 위치한 매장의 내·외부를 그대로 모사해 가상 매장을 운영하고 있다. 이곳을 방문하면 매장 구조와 상품 배치, 세부 인테리어와 마감재 등이 실제 매장과 동일한 가상 매장을 경험할 수 있다. 또한, 매장 외부의 에스컬레이터, 주변 상점, 비상구 등까지

현실감 있게 표현해 소비자들은 실제 백화점 매장을 방문한 것과 같은 실재감을 느낄 수 있다.

■ 메이저 메타버스 플랫폼과의 콜라보 마케팅 활발

전세계 수억명의 이용자를 확보한 메이저 메타버스 플랫폼과의 콜라보 마케팅도 주목할만하다.

예를 들어, 구찌(Gucci)는 설립 100주년을 맞아 이탈리아 피렌체의 구찌 가든(Gucci Garden)을 메타버스 플랫폼 '로블록스(Roblox)' 내에 그대로 재현하였다. 고객들은 가상 공간 속 구찌 가든 내에서 구찌의 패션 아이템을 착용해볼 수 있다. 구찌가든은 2021년에만 2천만명 이상이 방문할 만큼 인기가 높았다.

프랑스의 럭셔리 브랜드 발렌시아가(Balenciaga)는 게임 기반의 메타버스 플랫폼 '포트나이트(Fortnite)'와 콜라보 마케팅을 진행했다. 발렌시아가는 자사의 대표적인 컬렉션을 바탕으로 디자인한, 다양한 게임 아이템을 판매해 포트나이트 플레이어들로부터 호평을 받았다.

■ 가상 세계를 무대로 한 컬렉션도 주목

글로벌 패션업계에서는 가상증강현실 기술과 가상 인간의 활용을 통해 새로운 개념의 이벤트도 시도되고 있다.

예를 들어, 최근 막을 내린 2022 밀라노 패션위크에서는 가상 인간이 모델로 등장하고 증강현실을 통해 컬렉션을 감상하는 완전히 새로운 모습의 패션쇼가 개최되었다. '돌체앤가바나'는 가상의 무대와 실제 무대를 결합한 메타버스 패션쇼를 선보여 관객들로부터 많은 갈채를 받았다. 무대 중앙의 거대한 스크린에서 새로운 컬렉션을 입은 3D 아바타가 가상의 무대를 걸어오다가 실제 무대에 이르자 인간 모델로 바뀌는 환상적인 패션쇼였다.

또한, 앞서 열린 뉴욕패션위크에서도 가상 세계 '세컨드라이프' 내에서 버추얼 패션쇼가 개최되고, 3차원 홀로그램 모델이 다수 등장하는 등 메타버스와 홀로그램 모델이 화제가 됐다.

한편, 발렌시아가(Balenciaga)는 패션업계 최초로 비디오 게임 (Afterworld: the age of tomorrow)을 자체 개발하고, 그 안에서 2021년 가을과 겨울 컬렉션을 발표한 바 있다. 이처럼 글로벌 패션기업들은 메타버스를 활용해 소비자의 눈길을 끌기 위한 다양한 실험을 진행 중이다.

■ 국내 패션업계, 메타버스 마인드셋 강화 필요

최근 국내 패션업계도 가상증강현실 기술을 활용해 고객들이 매장을 방문하지 않고도 신상품에 대한 몰입감과 실재감을 경험할 수 있는 메타버스 마케팅을 시작했다. 하지만, 글로벌 패션 브랜드들이 메타버스를 활용해 다양한 실험을 하는 것과 비교해 국내 패션기업들은 가상 매장 구축에 한정된 모습이다.

앞으로, 국내 패션기업들도 글로벌 트렌드에 맞춰 메타버스 마인드셋을 한층 강화하고 실험적 차원의 다양한 시도가 필요하다. 메타버스는 MZ세대를 주 고객층으로 하는 패션기업들의 마케팅 격전장이 될 것이기 때문이다.

패션 스타트업들의 뉴비즈니스 모델

2019년 5월, 전 세계의 주요 패션기업들이 뉴욕에서 개최된 이더 리움(대표적인 암호화폐 중 하나) 컨퍼런스에 주목했다. 네덜란드 의 한 무명기업이 블록체인 기반의 디지털 드레스 1벌을 경매에 내놓아 무려 9,500달러에 판매했다는 뉴스 때문이었다.

그 기업의 이름은 패브리칸트(The Fabricant). 100% 디지털 의 류만 디자인해 판매하는 스타트업이다. 그것도 고급 맞춤복만 취 급한다. 현실 세계에서는 입을 수 없는, 디지털 이미지로만 존재하 는 가상의 옷을 누가 살까 하는 의문이 있겠지만, 시장 데이터는 예상 밖이다. 포브스(Forbes)誌에 따르면, 디지털 아바타에 대한 소비를 의미하는 D2A(Direct to Avarta) 시장규모가 2017년 현재 300억달러에 달했다고 한다. 아바타용 의상, 신발, 헤어스타일 등 모두 아바타를 꾸미는데 사용되는 100% 디지털 패션시장이다.

■ 가상의상만 디자인하는 디지털 패션 하우스(Digital Fashion House) 부상

최근 가상의류만 제작·판매하는 디지털 패션 하우스가 화제다. 대 표적인 기업은 앞서 예를 든 패브리칸트. 이 기업에는 실물 의상 을 기획하는 디자이너는 1명도 없다. 증강현실(AR) 전문 아티스트 가 곧 상품 기획자이자 디자이너다.

이 회사의 상품 판매방식 또한 독특하다. 우선, 고가의 '가상 맞춤 의류'를 옥션 방식으로 판매한다. 그후, 경매로 판매한 3D 디지털 드레스를 구매자의 체형에 맞게 재디자인해 'AR Filter(증강현실 필터)' 형태로 제공한다. 구매자는 이 증강현실 필터를 활용해 마치 자신이 그 옷을 입은 것 같은 모습으로 사진이나 짧은 동영상을 촬영하고 SNS에도 올릴 수 있다.

뉴욕 경매시장에서 9500달러에 판매된 패브리칸트(The Fabricant)의 디지털 드레스 'Iridescence'
https://fashionunited.uk/news/business/digital-fashion-house-the-fabricant-raises-1
4-million-dollars-in-funding/2022040862520

패브리칸트 외에도 오로보로스(Auroboros), 트리부트(Tribute), 칼

링스(Carlings), 리퍼블릭(Republiqe), 리플리칸트(Replicant) 등 최근에 등장한 디지털 패션 하우스는 많다.

■ 가상의류 온라인 상점, 디지털 패션 마켓플레이스(Digital Fashion Marketplace)도 주목!

전문 디자이너가 만든 가상의류와 가상액세서리를 모아 판매하는 디지털 패션 마켓플레이스도 등장했다. 이곳에 가면 여느 온라인 상점처럼 선호하는 상품의 이미지를 선택해 확대해보고 상세한 정보를 얻을 수 있다. 물론 구매도 가능하다.

미국 캘리포니아를 본거지로 둔 드레스엑스(Dress X)가 대표적인 사례. 이 스타트업은 2020년 설립됐다. 고객들은 드레스엑스에서 구매하고 싶은 디자인을 찾은 뒤 자신의 사진을 업로드하고 결제를 마치면, 몇일 내로 해당 디자인을 가상으로 착용한 사진을 이메일로 받을 수 있다. 이 스타트업은 구매 고객에게 인스타그램, 틱톡, 스냅챗 등 주요 SNS에 최적화된 다양한 가상의류 착용 사진을 제공하는데, 고객들은 실제 옷을 입고 찍은 것 같은 사진의 정교함과 고화질에 놀라게 된다.

현재 드레스엑스는 60여명의 디자이너와 협력해 수십달러에서 수백달러의 다양한 가격대로 700개 이상의 아이템을 판매하고 있으며, 다른 디지털 의류 브랜드도 이 플랫폼을 통해 자신의 상품을 유통할 수 있다. 이 회사는 향후 10년 내에 10억개의 디지털 의류 판매가 목표다.

■독특한 비즈니스 모델로 MZ세대 소구

IMVU는 18~24세 여성이 주고객층인 소셜 메타버스 플랫폼이다. 월간 활성이용자수가 700만명에 달할 만큼 MZ세대들이 선호하는 메타버스다. 이 스타트업은 아바타가 착용하는 의상, 신발, 구두, 액세서리 등 각종 디지털 패션 아이템을 제작한다. 앞의 사례들과 차이가 있는 것은 프로페셔널 패션 디자이너와 디지털 크리에이터가 현실 세계에서 핫트렌드로 부상한 상품을 아바타용으로 만들어 제공한다는 점이다. 또한, 이 플랫폼에서는 현재 20만명 이상의 아마추어 크리에이터가 활동하며 5천만점 이상의 아바타 의상을 판매하고 있는데, 매달 2천700만건 이상의 아이템이 팔릴 만큼 활성화돼 있다.

https://about.imvu.com/

알티팩트(RTFKT)는 가상 스니커즈를 만드는 스타트업이다. 2021
년 2월 블록체인 기반의 가상 스니커즈 600켤레를 한정 판매해
7분만에 310만 달러의 수익을 내며 화제를 모았다. 2021년 말
나이키에 인수되었다. 2022년 이 회사는 나이키의 실물 운동화를
본떠 만든 버추얼 운동화를 출시했는데, 여기에는 '스킨 바이얼
(Skin Vial)'이라는 독특한 기술이 적용돼 있다. 구매자들이 운동화
의 스킨을 바꿀 수 있는 기술이다. 스킨은 전문 아티스트들에 의
해 한정판으로 제공되는데, 구매자가 별도의 노력을 들여 수집해
야 한다. 게임과 수집하기를 좋아하는 MZ세대의 취향을 저격한
상품이다.

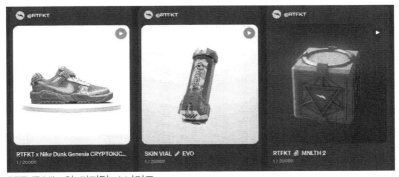

RTFKT-Nike의 디지털 스니커즈

https://rtfkt.com/

■ 국내 업계, 가상의류에 대한 실험과 함께 실물 경쟁력 강화도 잊지 말아야!

가상패션 시장이 장밋빛으로 전망됨에 따라, 최근 국내 패션업계에서도 디지털 패션에 대한 다양한 실험이 진행 중이다. 한 예로, 롯데홈쇼핑은 가상 디지털 의류 브랜드 'LOV-F(life of virtual fashion)'를 론칭한 바 있다. LOV-F는 판타지를 콘셉트로 트렌드에 맞춘 패션 제품을 출시하고, 실물 상품과 연계한 디지털 패션 상품도 판매할 계획이다.

의류, 생활용품, 소형가전 등을 사업하는 중견기업 브랜드엑스는 자사의 스포츠웨어 브랜드 '젝시믹스'의 대표상품을 본뜬 가상의류를 출시했다. 구매자들이 제페토 등 메타버스 플랫폼에서 아바타에 착용할 수 있도록 할 계획이다. 이들의 노력이 새로운 시장 창출이라는 열매로 맺어지길 기대한다.

가상의류에 대한 다양한 실험과 더불어 자사의 실물 경쟁력 강화도 잊지 말아야 할 것이다. 실물에서의 경쟁력이 유지될 때 가상세계에서도 경쟁력을 발휘할 수 있기 때문이다. 필자는 그것이 아마도 맥킨지가 이야기한 패션업계의 '메타버스 마인드셋'이 아닐까 생각한다.

제9장 스포츠산업,
훈련의 패러다임이 바뀐다!

전세계인의 축제, 2022 월드컵에서는 역사상 가장 정확한 심판이 등장했다. 그 주인공은 'SAOT(Semi Automated Offside Technology)'라는 최첨단 기술이다. 경기장 내 설치된 12개의 추적 카메라가 선수들의 움직임을 초당 50회의 빈도로 미세하게 읽어내고 축구공에 내장된 센서는 공의 움직임을 초당 500회 빈도로 관측해 오프사이드 판정을 내린다. SOAT는 사람이 하던 기존의 비디오 판독(VAR)과는 비교할 수 없을 만큼의 높은 정확도를 자랑한다.

2022 월드컵에서 오프사이드 판정에 활용되고 있는 'SAOT(Semi Automated Offside Technology)'

https://dataconomy.com/

　이처럼 오늘날 스포츠산업에서도 정보통신기술을 도입해 과거에는 할 수 없었던 수많은 혁신이 가능해지고 있다. 스마트밴드, 짐워치, 스마트슈트 등 각종 웨어러블 기기들은 선수들의 훈련이나 경기 중 신체 변화와 운동 정보를 실시간 수집해 부상 여부를 판단하고 적절한 조치를 바로바로 할 수 있게 도와준다. 또 빅데이터와 AI기술은 경기 내용을 분석해 결과를 예측하며, 향후의 전략 수립을 지원한다.

　최근 여기에 가상·증강현실기술이 더해져 사람들이 스포츠를 즐기는 방식까지 변화하고 있다. 또, 프로선수와 감독들은 경기력 향상을 위한 통찰력을 얻고, 선수 및 팀 훈련, 심판 판정, 스포츠 방송, 마케팅 프로모션 등에도 유용하게 활용되고 있다.

■ 전천후 반복 훈련이 가능해져 선수의 기량 향상에 도움

어떤 운동이든 선수들의 경기력 향상을 위해서는 반복 훈련이 필수다. 하지만 종목에 따라서는 훈련 장소를 준비하기 쉽지 않고 비, 눈, 바람 등의 기상조건도 훈련에 영향을 미친다.

　가상·증강현실기술을 활용하면 이 문제를 극복할 수 있다. 축구, 농구, 골프, 빙상 등 어떤 경기장이든 그대로 복제해 선수들이 실제 경기장과 같은 느낌으로 날씨와 상관없이 훈련할 수 있기 때문이다.

　예를 들어, STRIVR(Sports TRaining In Virtual Reality)은 선수들이 전천후 훈련할 수 있는 시스템을 개발했다. 이 시스템을 사용하면, 선수들은 언제든지 자신의 훈련 모습을 다양한 각도에서 확인하며 잘못된 동작이 교정될 때까지 무한 반복 훈련할 수 있다. 이 시스템은 미국의 주요 풋볼팀에서 먼저 활용돼 효과가 입증되면서, 그후 농구, 하키, 골프, 스키 등에도 도입돼 선수들의 경기력 향상에 크게 기여하고 있다.

　독일의 엄브렐라 소프트웨어가 개발한 축구 훈련용 시뮬레이터(SoccerBot 360)는 또 다른 예다. 이 시뮬레이터는 지름 10미터의 원형으로 만들어졌으며 내부 벽면에는 슛팅과 패스 연습을 위한 가상의 영상이 고해상도(Full HD)로 투사된다. 이 시뮬레이터에는 여러 대의 고속 카메라가 설치돼 선수와 공의 움직임을 추적한다. 예를 들어, 카메라는 선수가 공을 차는 발의 모습은 물론, 타격한 힘, 날아가는 공의 속도, 방향 등을 촬영하고, 컴퓨터를 통해 슛팅과 패스의 정확도를 평가한 후 그 결과를 벽면에 보여 준다.

https://www.soccerbot360.de/en/operator/

■ 국제대회의 심판 판정에도 널리 활용

스포츠 경기에서 심판 판정의 정확도를 높이는 일은 매우 중요하다. 오심은 때때로 경기 결과를 뒤바꾸고 선수의 기록과 경기력에도 좋지 못한 영향을 미치기 때문이다. 이 때문에 프리미어리그나, 메이저리그, 그리고 굵직한 국제대회에서는 심판의 판정을 지원하기 위해 증강현실기술이 활용돼 왔다. 바로 호크아이(Hawk Eye)라는 시스템이다.

이 기술은 경기장 곳곳에 고성능 카메라를 설치해 빠른 속도로 날아가는 공의 궤적을 밀리미터(mm) 단위의 추적하고, 그 결과를 실제 경기장에 덧입혀 공의 인아웃을 정확히 판정한다. 호크아이 시스템은 처음에는 크리켓 경기의 심판 판정을 지원하기 위한 도구로 사용되었는데, 그 성능이 인정되어 현재는 테니스, 배드민턴, 축구, 야구, 배구 등 20개 이상의 스포츠에서 심판의 인아웃 판정을 지원하는 필수 도구가 되었다.

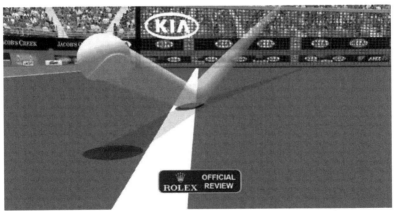

https://www.harrodsport.com/advice-and-guides/hawkeye-technology-in-sport

■ 스포츠 팬, 흥미롭고 실감나는 스포츠 관람·체험 가능해져

스포츠 방송에서도 가상·증강현실기술이 이미 널리 활용되고 있다. ESPN, Fox Sports, Star Sports 등은 오래전부터 스포츠 방송에

증강현실을 활용해왔다. 이 방송사가 중계하는 대부분의 스포츠 방송은 AR기술을 활용해 경기와 선수에 대한 다양한 정보를 3D 그래픽과 대화형 콘텐츠 형태로 제공한다.

Fox Sports가 AR 기술을 활용해 스포츠방송을 진행하고 있다.
https://www.newscaststudio.com/

한편, 미국의 방송 스타트업 NextVR은 스포츠 관람방식을 혁신적으로 바꾸고 있다. 최근 애플에 인수된 이 회사는 NBA와 공동으로 유료 서비스 가입자들에게 NBA의 주요 경기를 VR로 실시간 방송하고 주간 하이라이트를 VOD(Video on Demand) 방식으로 서비스한다. 또 이 회사는 미국풋볼리그(NFL), 미국하키리그(NHL) 와도 협약을 맺고 주요 경기를 같은 방식으로 서비스하고 있다.

메이저리그(MLB)는 몇 년 전부터 팬들이 야구 경기를 VR로 즐길 수 있는 가상현실기반의 서비스(At Bat VR)를 제공해왔다. 팬들은 마치 타석에 서 있는 타자처럼 투수의 투구 내용을 정면에서 볼 수 있다. 물론, 팀의 라인업과 선수별 타율 통계 등의 데이터도 실시간으로 확인 가능하다. 또한, MLB는 야구장 내에 VR을 활용한 특수 타격장(Home Run Derby in VR)을 설치해 팬들에게 기억에 남을 이벤트도 제공한다. 이 타격장에 입장한 팬은 VR 헤드셋을 착용하고 투수가 던진 공을 향해 방망이를 정확히 휘두르면 날아가는 공의 모습과 관중들의 함성을 들을 수 있다.

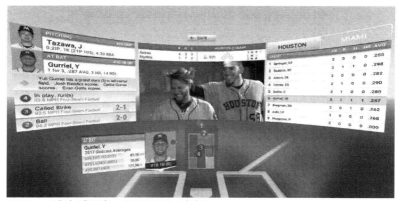

MLB.com에서 제공하는 At Bat VR 서비스
https://www.polygon.com/2017/5/29/15702524/mlb-at-bat-vr-android-daydream

■ 표적 광고를 통해 마케팅 효과 배가

증강현실은 경기장, 관중석, 포스터 등을 매력적이고 효과적인 광고 매체로 만들어 준다.

경기장 내 광고판을 예로 들어보자. 증강현실기술을 활용하면 하나의 경기를 중계방송하면서 시청자가 위치한 지역에 따라 TV

화면에 표시되는 광고판을 변화시킬 수 있다. 이 방식은 낮은 비용으로 표적 광고를 할 수 있어 광고주들이 선호한다.

영국의 LED 전문기업 ADI가 개발한 digiBOARD는 증강현실기술을 활용해 표적 광고를 하는 사례이다. 이 기술은 경기장에서 팬들이 볼 수 있는 전통적인 LED 광고판과 증강현실기술을 결합해 국가별로 맞춤 광고를 한다. 현재 이 시스템은 영국 프리미어리그는 물론, 독일 분데스리가, 이탈리아 세리에 A, 런던 NFL 경기 등의 중계방송에 활용되고 있다.

■ 국내는 게임·레저 외 강점 스포츠산업부터 상품화 고민할 때

어느덧 글로벌 시장에서는 가상·증강현실기술이 선수들의 훈련방식을 과학화하고 팬들의 스포츠 소비방식을 엔터테인먼트화 하는 등 스포츠산업의 패러다임을 바꾸고 있다. 우리나라에서는 가상·증강현실기술이 스크린골프, 스크린테니스, 스크린야구 등 일반인 대상의 게임·레저 분야에서는 활발히 활용되고 있으나, 정작 스포츠산업의 혁신에는 기여도가 낮은 듯하다.

국내기업들이 모든 스포츠에 대해 가상·증강현실기술을 상품화할 필요는 없다. 그러나, 양궁, 태권도, 쇼트트랙 등 우리가 국제적인 강점이 있어 해외에도 영향을 미칠 수 있는 스포츠라면 가상·증강현실기술의 상품화를 고민해 보아야 하지 않을까? 국내 관련 스타트업들의 도전과 파이팅을 기대해 본다.

제10장 건설산업,
'메타버스 신공법'으로 현장 혁신!

전통적으로 건설산업은 노동집약적인 로테크(Low Tech) 산업이다. 한국생산성본부에 따르면, 2021년 건설산업의 노동생산성지수는 98.6(2015년 100 기준)으로 금융보험업(137.6), 제조업(120.5)과 비교해 크게 낮고, 전산업 평균(110.0)에도 많이 부족하다.

■ **건설산업의 낮은 생산성은 디지털화 지연이 큰 이유**

건설산업의 노동생산성이 낮은 이유는 다양하겠지만, 디지털화의 지연이 주요인이다. 대한건설정책연구원(2020)은 건설산업의 디지털화 지수는 여타 산업보다 크게 낮으며, 생산성 증가율 하락과

관계가 높다고 지적한다.

< 디지털화 수준과 생산성 증가율의 관계>

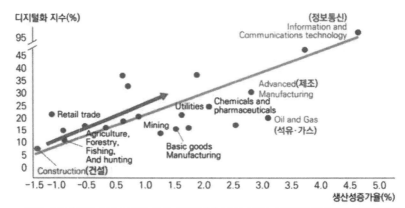

자료: '디지털경제'가속화에 따른 건설산업 혁신 방안, 대한건설정책연구원(2020)

하지만, 최근 건설업계에서도 디지털 트랜스포메이션의 일환으로 메타버스를 도입해 서서히 혁신의 물꼬를 트고 있다. 아직 타 산업과 비교해 그 수준은 낮지만 로테크로 인식되던 건설업계에서 메타버스가 조만간 주요 혁신 수단으로 자리매김할 것이 기대되고 있다.

그렇다면, 건설산업은 메타버스를 통해 어떤 효과를 얻을 수 있을까? 건설업의 주요 프로세스 별 가상증강현실기술의 활용사례와 성과를 살펴보자.

■ BIM과 가상현실을 결합한 버추얼 프로토타이핑 부상

건설산업에서 설계의 중요성은 아무리 강조해도 지나치지 않다. 모든 건축물의 시작은 설계로부터 시작되기 때문이다. 그러나, 짧게는 수개월에서 길게는 수년이 걸리는 건설 프로젝트의 특성상 처음부터 발주자가 만족하는 완벽한 설계를 하기란 쉽지 않다. 따라서, 건설 현장에서는 설계 변경을 통해 재작업하는 일이 종종 발생한다. 물론, 이로 인한 공기 지연과 비용 손실이 만만치 않았다.

최근 BIM(Building Information Modeling)과 가상현실기술을 결합한 버추얼 프로토타이핑(Virtual Prototyping)이 이 문제의 해결책으로 부상했다. 예를 들어, 일본의 타이세이(大成)건설은 BIM으로 설계된 3차원 건축물 정보를 가상현실기술을 기반으로 1:1의 실물 크기로 표현해 발주자가 설계 단계에서 완성될 건물을 실제처럼 보고 느낄 수 있게 한다. 이 체험은 PC뿐만 아니라, VR기기를 통해 언제 어디서든 간단한 조작으로 가능하다.

이에 따라, 고객과 프로젝트 관계자들은 시공 전부터 설계 내용의 정확한 확인이 가능해 설계 협의 과정을 신속하게 처리할 수 있다. 또한, 설계 단계에서 고객의 참여를 높여 프로젝트 건설 중간이나 종료 단계에서 설계 변경으로 발생할 수 있는 재작업 리스크를 크게 줄였다. 현재, 타이세이건설은 설계건의 약 50%를 이같은 방식으로 검토해 고객들로부터 큰 호응을 얻고 있다.

■ 병원 등 정밀시설 내부의 설계 검증에도 VR 체험이 효과

일반적으로 수술실, 응급실 등 병원시설들은 좁은 공간에서 생명

을 구하기 위한 각종 장비들을 효율적으로 배치해야 하므로 보다
정밀한 설계 검증이 필요하다.

병원 건설에 특화된 미국의 중견 건설사 레이튼(Layton)은 이
문제를 가상현실기술을 활용해 해결한다. 한 예로, 얼마 전 레이튼
은 알라바마주의 한 지역에 건설할 대형의료센터의 설계검토를
위해 물리적 모형 대신 사람들이 의료병동을 3차원으로 체험할
수 있는 VR 체험공간을 구축했다. 해당 병원의 의사, 간호사 및
센터직원들이 병원 내부의 설계 내용을 검토하기 위한 것이었다.

레이튼은 수백명의 체험자로부터 중요한 피드백을 받았고, 건설
공사를 본격화하기 전 주요 부분에 대해 설계를 변경할 수 있었
다. 예를 들면, 몇몇 의사와 간호사들이 분만실 침상 상단의 산소
호흡기 연결 부분과 콘센트 등 편의장치 설계의 잘못을 지적했고
레이튼은 즉시 설계에 다시 반영했다. 레이튼은 이를 통해 설계
실수에 따른 재작업을 줄일 수 있었음은 물론, 건축물의 모형 제
작비를 90% 절감할 수 있었다.

■ AR 작업 지침을 통한 시공 정확도 제고
물리적인 대상에 디지털 정보를 결합하는 증강현실기술은 프로젝
트 현장에서 근로자가 수행해야 할 작업 지침을 제공하는 데 매우
유용하다. 현장의 작업자는 증강현실을 통해 건설 중인 건물의 난
방 파이프, 배수관, 벽, 출구, 스위치 및 환기시설의 위치 등 작업
정보를 시각적으로 활용할 수 있다. 또 설계안과 비교해 작업이
올바로 진행되었는지를 효과적으로 점검해 프로젝트의 품질을 높

일 수 있다. 예를 들어, 현장 작업자는 헤드셋이나 태블릿을 사용하여 도면상의 스위치 위치를 정확히 확인하고 설치작업을 올바르게 수행할 수 있다.

세계 최대의 건설사인 프랑스의 빈치(VINCI)건설은 건설 현장에서 증강현실을 널리 활용하고 있다. 이 회사는 2019년 증강현실 전문기업 DISCERN을 설립하기도 했다. 빈치건설의 작업자들은 태블릿이나 스마트안경을 활용해 건물의 디지털 설계도면을 펼치고, 그것을 실제 공사현장에 중첩함으로써 설비와 각종 장치들이 설계도면 대로 정확하게 설치되었는지를 점검한다. 또한 완공된 설비장치의 유지보수 시에도 이 방식을 그대로 사용한다. 실례로, 빈치건설은 프랑스오픈이 열리는 롤랑가로스(Roland Garros) 스타디움의 리모델링 설계 후, AR 스마트안경을 활용해 난방, 배수관 등의 설치를 점검하여 시공의 정확성을 높이고 공사 기간을 단축하였다.

자료: discern-solution

건축물의 운영·유지 관리 및 교육훈련 혁신

최근 건설산업에서도 가상·증강현실기술을 활용한 혁신이 실험단계를 넘어 실용화에 이르고 있다. 2020년 영국 브리스톨 대학의 연구에 따르면, 가상·증강현실기술은 1990년대 이후 설계, 시공 및 도시 운영의 시각화 지원을 위해 사용돼왔으며, 현재 건설산업에서 가장 중요한 기술 중 하나로 인식되고 있다.

그 연구에서는 이해관계자와의 소통, 설계 지원, 설계 검토, 시공, 운영 및 유지보수, 교육 훈련 등 6개 분야에 대해 가상·증강현실기술의 활용수준, 장점, 도전과제 등을 정리해 발표했다.

■ 건설업의 가상현실 활용도는 증강현실 대비 높은 편

우선, 영국 건설업계에서는 가상현실기술이 증강현실기술에 비해 모든 분야에서 활용도가 높은 것으로 나타났다. 특히, 가상현실기술은 이해관계자와의 소통, 설계 지원, 설계 검토 과정에서 활발히 활용되며, 설계 내용을 시각화함으로써 의사결정을 신속하고 효율적으로 하는 등 장점이 많다.

또한, 시공 지원, 운영 및 유지보수, 교육 훈련 분야에서는 가상·증강현실기술이 활용 초기 단계인 것으로 나타났으며, 투자비용, 하드웨어의 안전성, 배터리 수명, 정보 업데이트의 정확성 및 속도 등 해결해야 할 도전과제도 적지 않은 것을 알 수 있다.

< 엔지니어링산업의 가상·증강현실기술 활용수준 및 과제 >

구분	활용수준		장점	도전과제
	VR	AR		
이해관계자 소통	3.08	2.47	•신속한 피드백 •요구사항 및 상황 이해도 향상 •영향평가 개선 •사용자 경험 향상	•높은 투자비용 (공간, 기술인력) •사용 시 불편함 •다중 사용자 동시 사용기능 구현의 어려움
설계지원	3.01	2.2	•실제 설계된 규모로 시각화 •설계 영향에 대한 이해도 향상 •시뮬레이션 결과 이해도 향상	•높은 투자비용 (공간, 기술인력) •BIM모델의 변경사항을 해석하기 어려움 •VR&AR 결과물의 보관 어려움
설계검토	2.97	2.11	•신속한 설계 확정 •효율적인 의사결정 •다중 평가의 용이성	•높은 투자비용 (공간, 기술인력) •BIM모델의 변경사항을 해석하기 어려움
시공지원	2.08	1.82	•진행상황을 시각적으로 이해 미 •시각적 분석	•높은 투자 (기기, 기술인력) •안전승인된 하드웨어없음 •추적·매핑의 정확도 낮음 •인터넷 접속 제한, 배터리 수명
운영 및 유지보수	1.91	1.73	•출장이동 감소, 기술자 안전 향상 •유지보수지원 우수 •시설의 요구사항 이해도 향상 •자산 정보의 실시간 시각화	•높은 투자 (기기, 기술인력) •타시스템과 통합성 부족 •정보 업데이트의 정확성, 속도 문제 •VR&AR 결과물의 보관
교육훈련	2.35	1.88	•저비용 교육 •효과적인 훈련 시나리오 •대규모 운영의 시뮬레이션 용이 •직원이동에 따른 리스크 감소	•높은 투자 (기기, 기술인력) •콘텐츠 생산 기술자 부족 •체계화된 평가 프로세스 부족 •자격기준 통합 부족

※자료: A research agenda for augmented and virtual reality in architecture, engineering and construction(2020), (활용수준: 1=사용하지 않음, 2=테스트 초기, 3=기본 실행, 4=부분적 활용, 5=완전한 구현)

■ 건물, 인프라, 시설물 운영·유지보수에 효과적

건설산업에서 가상·증강현실기술은 건물, 인프라, 시설물의 운영 및 유지보수 업무를 혁신하는 데 사용될 수 있다.

한 예로, 공공인프라 건설 전문업체인 일본의 코노이케구미(鴻池組)의 터널 유지보수 업무를 들 수 있다. 일본에서는 고도성장기에 만든 대부분의 공공인프라가 노후화돼 유지보수업무가 쉽지 않다. 이 회사는 노후화된 터널을 정기 점검할 때마다 균열이 일어난 부분을 터널 벽에 표시해 놓았지만, 배기가스 오염 등으로 그 균열이 얼마나 더 진행되었는지 확인하기 어려웠다. 또한, 터널 유지보수 시 차량 통제시간을 단축해달라는 요구가 많았지만, 고소작업차량을 이용해 점검 부분을 확인하고 기록해야 했기 때문에 작업시간 단축도 쉽지 않았다.

하지만, 최근 고노이케구미는 증강현실 기반의 터널 점검 시스템(터널 MR)을 구축해 이 문제를 해결하고 있다. 코노이케구미가 개발한 이 솔루션은 웨어러블 단말을 통해 3차원의 지질전개도 등 터널의 유지보수에 필요한 데이터를 홀로그램 형태로 터널 내에 투사해 보여준다. 작업자는 이 정보를 기반으로 콘크리트의 균열 정도, 설계 및 시공과의 인과관계를 쉽게 확인할 수 있고, 유지보수작업을 편리하게 진행할 수 있다. 또 현재의 균열 상황을 촬영해 과거와 비교함으로써 균열의 확산 정도를 확인할 수 있다.

이 회사는 전자화된 도면을 사용하고 과거 점검기록도 바로바로 확인할 수 있게 돼, 과거와 비교해 경과 변화를 쉽게 파악하고 점검에 필요한 시간을 크게 단축할 수 있었다. 또 점검 오류나 누락을 방지할 수 있게 돼, 터널 내 차량 통제시간과 교통 체증을 최소화할 수 있었다.

일본의 코노이케구미(鴻池組)는 건설현장에서 MR 디바이스 「HoloLens 2」 등을 활용해 생산성 향상을 꾀하고 있다.
https://www.moguravr.com/konoike-informatix-hololens-2-practical-experiment/

■ 위험작업자의 안전 교육 훈련에도 우수한 성능

국제노동기구에 따르면, 전세계 노동현장에서 매년 3억 4천만 건 이상의 사고가 발생하고, 2억 3천만명이 사망한다고 한다. 이러한 현상은 다른 업종에 비해 건설업계에서 눈에 띄게 나타난다. 따라서, 건설업계는 작업자들의 건강과 안전 문제를 극복할 새로운 방법을 꾸준히 찾아왔다. 최근 가상·증강현실기술이 건설현장 근로자들의 안전사고 발생을 줄이는 수단으로 건설업계의 높은 관심으로 받고 있다.

벡텔(Bechtel)이 작업자의 안전사고를 줄이기 위해 가상·증강현실기술을 활용하고 있는 대표적인 기업이다. 이 회사는 크레인 운전자를 위한 VR 훈련시스템을 구축했다. 이 솔루션은 실제와 같은 상황을 시나리오별로 구성해 교육생들이 크레인을 익숙하게 제어할 수 있도록 도와준다. 교육생들은 날씨나 시간에 무관하게 무한 반복훈련할 수 있고 훈련 시 안전사고 걱정도 없다. 벡텔은 이 시스템의 운영을 통해 크레인 운전자의 선발 과정을 개선함과 동시에 교육생의 상해나 장비 손상 없이 훈련 비용을 절약할 수 있을 것으로 기대한다.

미국의 엔지니어링 회사 벡텔이 작업자의 교육을 위해 활용하고 있는 VR 모바일 크레인 시뮬레이터
https://www.iti.com/blog/bechtel-hosts-iti-customer-advisory-open-house-focusing-on-crane-rigging-technology-innovation

　일본의 중견건설업체 다이산은 추락사고, 감전, 위험물 낙하사고 등 건설현장의 안전사고 예방을 위한 VR 훈련시스템을 개발해 작업자들을 교육시킨다. 이 솔루션은 VR 기술을 활용해 공사현장의 위험성을 인식시키고 사고 없이 작업할 수 있도록 훈련하는 시스템이다. 이 회사는 현장 근무자들을 인터뷰해 실무경험에 기반한 안전사고 시나리오를 만들었고 이를 콘텐츠 제작에 반영했다. 또한, 안전장비를 착용했을 때와 그렇지 않았을 때의 차이를 보여줌

으로써 안전장비 착용의 중요성을 강조했으며, 젊은 사원들이 흥미를 갖고 안전교육에 임할 수 있도록 재미 요소를 많이 도입했다. 그 결과, 현장 근로자들이 교육에 적극적으로 참여할 수 있었고 안전의식을 높이는 계기가 되었다. 또 당사의 VR 안전교육 프로그램이 언론에 알려지면서 전시회 등에의 참여 요구가 잇달았고 회사의 브랜드를 홍보하는 기회도 얻게 되었다.

https://www.daisan-g.co.jp/service/vr/

건설분야의 상용화된 가상·증강현실 솔루션

어떤 나라든 건설산업은 국가 경제에서 큰 축을 차지한다. 통계를 보면, 전세계 GDP에서 건설산업의 비중은 13%에 이른다. 우리나라의 경우 건설업의 GDP 비중은 5.5%로 세계 수준보다 낮지만, 200만명 이상이 종사하는 국가 기간산업의 하나다. 생산성 향상,

비용 절감, 안전사고 줄이기 등 건설산업의 혁신이 필요한 이유가 바로 여기에 있다.

■ **건설업을 혁신하는 콘테크(ConTech) 스타트업 부상**

글로벌 시장에서는 건설(Construction)에 4차 산업혁명의 최신 기술(Technology)을 응용한 이른바 콘테크(ConTech) 스타트업들이 부상하고 있다. 이들은 인공지능, IoT, VR, AR, 디지털트윈 등을 이용해 다양한 혁신 제품들을 시장에 출시하고 있다.

< 건설업의 프로세스 혁신을 지원하는 주요 콘테크 솔루션 >

	기획/설계				조달/시공		
	기획 타당성	프로젝트 관리	개념 기본설계	상세설계	구매조달	시공	감리
가상 현실		IRIS VR					
증강 현실		X.Y.Z			OPENSPACE	HOLO BUILDER	
디지털 트윈		AUTODESK				SenSat	
인공지능		SPACEMAKER			Qflow	RHUMBIX	
블록체인						trinov	
사물 인터넷						viAct	
클라우드	Rabbet	klarx				UNIONTECH High-Quality, Low-Cost Producer	

자료: 미래의 건설산업 디지털로 준비하라(삼정KPMG, 2020)와 필자의 조사 결과를 혼합하여 정리

사실, 표에서 제시된 브랜드 외에도 건설업의 프로세스 혁신을 지원하는 콘테크 솔루션들은 열거하기 힘들 정도로 많다. 이 글에서는 그 중 메타버스 기반의 주요 솔루션들을 소개한다.

■ 가상현실 솔루션, 설계 검토 과정을 효율화

과거 건설기업들은 설계 초기, 건축물의 완공된 모습을 고객들에게 설명하기 위해 도면이나 모형을 사용해 왔다. 그러나, 그 방식은 도면을 이해하지 못하는 고객들과 소통이 어려웠고, 모형만으로는 주변과의 조화 등 설계자가 의도한 건물의 특징을 제대로 설명할 수 없었다.

　미국의 스타트업 IRISVR은 이점에 착안해 고객들이 직접 VR 헤드셋을 착용하고 설계를 검토하는 솔루션을 개발했다. 고객들은 설계된 건축물의 완공 모습을 3차원으로 볼 수 있을 뿐만 아니라, 건물의 내부까지 실제처럼 돌아다니며 확인할 수 있다. 또, 아침, 점심, 저녁 등 시간대 별로 변화하는 건물의 모습과 일조량까지 점검할 수 있어 조망이 중시되는 건축물에 특히 유용하다. IRISVR을 도입한 건설회사는 고객과의 커뮤니케이션이 향상되고 의사결정이 빨라져 공기 단축과 건설 비용 절감 효과도 얻고 있다.

■ 증강현실 솔루션, 건설 프로세스 전반을 혁신

증강현실은 물리적 세상에 가상의 디지털 정보를 덧붙여 현실을 더욱 풍요롭게 하는 기술이다. 이 기술은 다양한 산업에서 프로세스 혁신에 활용되고 있는데, 건설업도 예외는 아니다.

한 예로, 영국의 XYZ 리얼리티는 증강현실 기반의 설계 솔루션을 제공한다. BIM(Building Information Modeling) 기술과의 결합을 통해 건설 현장을 실재하는 것처럼 가상으로 구현한 뒤, 검토를 통해 설계 내용을 실시간으로 수정·보완할 수 있는 솔루션이다. 설계 내용 중 어느 하나가 변경되면 영향을 받는 다른 요소도 함께 변경돼 설계 수정 작업이 크게 효율화 된다.

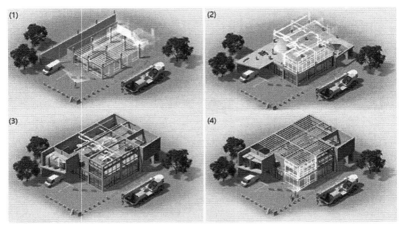

XYZ의 설계 솔루션 'Holosite'를 활용하면 건축 전 주기에서 각 단계별 가상의 모습을 실재처럼 볼 수 있다. (1)설치 전, (2)설치 중, (3)실시간 검증, (4)설치 후
https://www.xyzreality.com/__home_2

독일의 홀로빌더(Holobuilder)는 증강현실을 이용해 360도 입체 영상을 제공하는 솔루션이다. 세계 상위 100개 종합건설사 중 약 60%가 이 시스템을 도입했다. 이 솔루션은 작업자들이 언제 어디서나 현장의 공사 진행 상황을 파악하고, 완공까지의 시간을 예측

할 수 있도록 지원한다. 360도 입체영상에는 시멘트 양, 철근 크기, 전기 용량, 배선 등 현장의 전반적인 정보가 담겨있다. 이 솔루션을 도입한 미국의 헨젤펠프스 건설은 연간 5천 시간 이상의 노동시간을 단축했으며, 문서 작성 시간을 50% 단축하는 등 생산성이 크게 향상됐다.

https://www.holobuilder.com/

미국의 오픈스페이스(OpenSpace)는 공사현장을 비대면으로 실시간 관리할 수 있는 솔루션이다. 작업자의 안전모에 장착된 카메라가 건설현장을 0.5초 간격으로 자동 촬영해 관리자가 원격지에서도 건설현장에서 발생하는 일들을 3차원으로 바로바로 확인할 수 있다. 이를 통해 관리자는 건설현장의 위험을 즉시 감지하고 신속히 대처할 수 있다.

■ 디지털트윈, 건설현장 운영을 효율화·최적화

디지털트윈(Digital Twin)은 가상공간에 실물과 똑같은 물체(쌍둥이)를 디지털로 구현해 목적에 맞게 시뮬레이션 해볼 수 있는 기술이다. 2000년대 제조공장에 도입되어 가동 중 발생할 수 있는 안전사고 위험을 줄이고, 생산성 향상, 공정 최적화, 비용 절감 등에 효과가 있는 것으로 입증된 기술이다. 현재 디지털트윈은 자동차, 항공기, 로봇산업 등 제조업뿐만 아니라, 건설업에서도 유용하게 활용되고 있다.

예를 들어, 영국의 센셋(Sensat)은 건설, 토목 현장을 디지털트윈으로 구현하는 솔루션이다. 이 솔루션은 디지털트윈과 인공지능을 바탕으로 작업 중인 건설현장의 운영을 최적화할 수 있다. 대표적인 서비스는 '맵(Mapp)'으로, 실무자가 전세계 어디서든 실시간으로 건설현장의 상황을 눈으로 확인할 수 있고, 작업 상황에 대해 의견을 주고받을 수 있다. 또 건설현장에서 발생한 데이터를 바탕으로 향후의 건설 공기, 비용 등에 대해 시뮬레이션할 수 있고 그 결과를 시각화할 수 있다. 이는 경영진들도 쉽게 이해할 수 있어 빠른 의사결정이 가능하다.

■ 상품 특성, 비용대비 효과 등 검토해 자사에 적합한 솔루션을 찾아야

건설업의 디지털 트랜스포메이션은 거스를 수 없는 대세다. 세계 최대 건설사 벡텔은 2015년 벤처캐피탈 '브릭 앤 모타르 벤처스'를 설립하고, 건설산업의 프로세스를 혁신하는 소프트웨어·하드웨어 스타트업에 직접 투자하고 있을 정도다. 최근에는 가상·증강현실 기반의 솔루션에도 높은 관심을 보이고 있다. 그 기술을 경쟁사보다 빨리 도입해 자사의 경쟁력을 강화하기 위함이다.

우리나라의 대형 건설기업도 가상·증강현실 기술을 활용한 프로세스 혁신을 시작했지만, 아직 중소 건설기업까지는 여력이 없는 듯하다. 하지만, 건설기업들은 굳이 값비싼 글로벌 제품이 아니더라도 국내에서 기회를 찾을 수 있다. 가상증강현실 기반의 국내 콘테크 스타트업과 솔루션들이 속속 등장하고 있기 때문이다. 중소 건설기업들도 솔루션의 특성과 도입 효과, 비용 등을 검토해 자사에 맞는 솔루션 도입을 적극적으로 추진할 때다.

제11장 헬스케어산업,
의료시스템과 환자 치료방식 혁명

최근 디지털 트윈 기술이 헬스케어 산업에 도입되어 의료시스템과 환자의 치료 방식이 획기적으로 변화하고 있다. 이번 장에서는 글로벌 헬스케어 산업의 디지털 트윈 활용 현황에 대해 알아본다.

■ '헬스케어 디지털 트윈', 의료시스템과 환자 치료의 혁신 도구로 부상

헬스케어 산업에서 디지털 트윈 기술은 환자, 의료기기, 또는 의료 시스템의 가상 모델을 생성해 실제 상황에서 발생할 수 있는 시나리오들을 예측, 분석 및 시뮬레이션하는 데 핵심적인 역할을 한다. 이를 통해, 환자의 건강 기록, 생체 신호, 유전 정보 등 다양한 의료데이터를 종합적으로 활용하여 개인별로 맞춤형 치료 계획을 세우고, 질병의 진행을 모니터링하는 데 사용된다.

더 나아가, 의료진은 이 기술을 이용해 환자별로 맞춤화된 치료 방안을 제안하며, 치료의 정밀도와 효율성을 극대화한다. 이는 질병의 예측 및 예방 조치를 가능하게 하여 환자 관리의 질을 향상시키는 데 기여한다.

뿐만 아니라, 디지털 트윈은 의료 시스템의 운영 효율을 증진시키고, 자원의 효과적인 배분을 도모한다. 이 기술은 의료 전문가들이 실제와 유사한 환경에서 기술을 연마하고 지식을 쌓을 수 있게 함으로써, 의료 서비스의 전반적인 질을 높이는 데 기여한다.

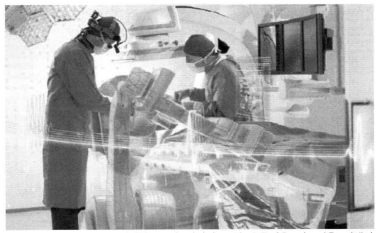

외과 임상 절차를 시뮬레이션함으로써 디지털 트윈 솔루션은 치료법을 선택하기 전에 결과를 예측하는 데 도움이 된다.
https://www.faststreamtech.com/solutions/digital-twin/digital-twin-in-healthcare/

■ '헬스케어 디지털 트윈'은 임상 시뮬레이션 및 수술 계획, 의료 기기 설계, 신약 개발, 환자 맞춤형 치료 등에 큰 도움

헬스케어 산업 내에서 디지털 트윈 기술의 활용은 다양한 분야에 걸쳐 있으며, 이를 7가지 주요 영역으로 요약할 수 있다.

먼저, 의료 전문가들이 복잡한 수술을 미리 시뮬레이션하고 최적의 절차를 계획하는 데 이 기술이 큰 도움을 준다. 예를 들어, Dassault Systemes는 심장 수술을 위한 디지털 트윈 모델을 개발하여 수술 전략을 세밀하게 조정한다. 이와 함께, Materialise Mimics는 3D 프린팅과 디지털 트윈을 융합해 수술 계획과 시뮬레이션을 지원한다.

다음으로, 의료 기기 및 임플란트의 설계와 테스트 분야에서도 디지털 트윈은 중요한 역할을 한다. Siemens Healthineers는 이 기술을 통해 의료 장비의 설계와 성능을 개선하고, Stryker는 맞춤형 임플란트 설계에 디지털 트윈 기술을 적용하여 환자에게 최적화된 솔루션을 제공한다.

또, 약물 개발 및 테스트 영역에서 디지털 트윈의 효과는 두드러진다. GNS Healthcare는 약물 반응 예측에 디지털 트윈을 활용해 치료제 개발을 가속화하고, Schrodinger는 분자 모델링과 결합된 디지털 트윈으로 약물의 효능과 부작용을 예측한다.

< 헬스케어산업의 디지털트윈 활용분야와 사례 >

활용 분야	활용 내용	사례
임상 시뮬레이션 및 수술 계획	의사들이 복잡한 수술을 시뮬레이션하고 최적의 절차를 계획할 수 있도록 지원.	Dassault Systemes Materialise Mimics Surgical Theater
의료 기기 설계	의료 기기 및 임플란트의 설계와 테스트에 활용되어, 제품 개발 과정에서의 시행착오를 줄이고, 효율성을 제고.	Siemens Health GE Healthcare
약물 개발 및 테스트	신약 개발 과정에서 약물의 효과와 부작용을 예측하고, 임상 시험의 횟수를 감소.	GNS Healthcare Schrodinger
환자 맞춤형치료	개인의 건강 데이터를 기반으로 한 맞춤형 치료 계획 수립과 실시간 모니터링에 활용	Philips IntelliSpace Mayo Clinic
신경학 (뉴로 트윈)	신경계 질환을 연구하고, 치료 방법을 개발하는 데 사용. 뇌 질환 진단, 치료 계획 수립, 뇌-컴퓨터 인터페이스(BCI) 개발 등에 적용.	Johns Hopkins Neuroelectrics
재활 의학	재활 과정의 모니터링 및 개선을 위해 환자의 운동 능력이나 진행 상황을 모델링.	Hocoma Motek Medical
공공보건·질병관리	대규모 인구 데이터를 활용하여 질병의 확산을 예측하고, 공공 보건 정책을 지원.	IBM Microsoft

자료: 필자가 ChatGPT 검색을 통해 정리

■ 신경학적 응용에 집중한 '뉴로 트윈(Neuro Twin)'도 주목

최근에는 헬스케어 디지털 트윈 기술의 한 분야로서, 신경학적 응용에 초점을 맞춘 '뉴로 트윈(Neuro Twin)'이 주목받고 있다. 이 혁신적인 접근은 인간의 뇌나 신경계를 디지털로 복제하여, 신경학적 질환 연구, 치료 계획 수립, 뇌-컴퓨터 인터페이스 설계 등 다양한 분야에 응용될 수 있다. 이러한 연구에는 존스홉킨스대학, 매사추세츠종합병원, 스탠포드대학 등 세계적으로 유명한 의과대학과 병원들이 참여하고 있어, 뉴로 트윈 기술의 발전과 활용 가능성이 더욱 기대된다.

< 뉴로 트윈(Neuro Twin) 활용분야 및 효과 >

활용 분야	활용 내용	사례
뇌 질환 연구·치료	파킨슨병, 알츠하이머병, 뇌전증 등의 연구에 사용. 환자의 뇌 구조와 기능을 디지털로 모델링하여, 질병의 진행을 모니터링하고, 치료 효과를 예측하며, 맞춤형 치료 전략을 개발	매사추세츠 종합병원
신경외과 수술계획 및 시뮬레이션	신경외과 수술, 특히 복잡한 뇌 수술을 계획할 때, 환자의 뇌의 디지털 모델을 사용하여 수술 절차를 미리 시뮬레이션하고 최적의 수술 경로를 결정. 수술의 위험을 줄이고 성공률을 제고	존스홉킨스 大
뇌-컴퓨터 인터페이스(BCI) 개발	뇌의 디지털 트윈을 활용하여 뇌-컴퓨터 인터페이스 기술을 개발하고 향상. 이는 특히 운동 능력이 제한된 사람들에게 도움이 되며, 생각만으로 컴퓨터나 기계를 조작할 수 있게 함.	스탠퍼드大
교육훈련	의료 전문가들을 위한 교육 및 훈련 도구로써 사용. 실제 환자의 뇌 모델을 기반으로 한 시뮬레이션을 통해, 의료 전문가들은 다양한 신경학적 상황에 대해 학습하고, 수술법을 연습.	하버드의과 大

자료: 필자가 ChatGPT 검색을 통해 정리

■ 재활의학, 공공보건 및 질병관리 등에도 '헬스케어 디지털 트윈'
  이 효과적

재활의학, 공공보건, 질병관리 등의 영역에서도 디지털 트윈의 활용은 상당한 효과를 발휘하고 있다. 이 분야에서는 특히 헬스케어 전문 기업들이 환자의 운동 능력과 치료 진행 상황을 가상 모델로 재현하여 재활 과정을 모니터링하고 개선하는 데 주력하고 있다.

예를 들어, Hocoma는 로봇 기반의 재활 치료에서 환자의 회복 과정을 실시간으로 추적하고 치료 방안을 조정하기 위해 디지털 트윈을 적극 활용한다. Motek Medical은 가상현실 기술과 디지털 트윈을 결합해 보행 재활 훈련을 제공하며, ReWalk Robotics는 외골격 로봇과 디지털 트윈을 통합해 재활 프로그램을 개인화하고 최적화한다.

또한, 대규모 인구 데이터를 이용한 질병 확산 예측과 공공 보건 정책 지원에도 디지털 트윈이 중요한 역할을 한다. IBM은 팬데믹 대응을 위해 질병 확산 예측 모델을 개발했으며, Microsoft는 클라우드 기술과 결합된 디지털 트윈을 통해 공공 보건 데이터 분석 및 질병 관리를 강화한다. Google 역시 대규모 데이터 분석과 디지털 트윈을 활용해 공공 보건 위기에 신속하게 대응하는 전략을 마련한다.

■ 환자 개인정보 보호, 높은 비용, 기술적 복잡성, 의료시스템 간의 상호 운영성 확보 등 도전과제도 적지 않아..

IT기술이 발전함에 따라, 헬스케어 분야에서 디지털 트윈의 연구 및 활용은 앞으로 더욱 확장될 전망이다. Transparency Market Research라는 미국의 시장조사기관에 따르면, 전 세계 헬스케어 디지털 트윈 시장은 2021년 현재 이미 약 4억 5천만 달러에 달하며, 2031년까지는 53억 달러에 이를 것으로 보인다. 이는 연평균 25%의 높은 성장률을 나타내는 것이다.

하지만, 헬스케어 디지털 트윈 기술이 직면한 도전과제들도 결코 쉬운 것은 아니다. 특히, 환자 데이터의 안전한 처리와 개인정보 보호는 최우선적으로 고려되어야 할 사항이다.

또한, 기술의 구현과 유지에 필요한 높은 비용, 기술적 복잡성, 그리고 다양한 의료시스템 간의 상호 운용성 확보는 이 기술의 확산을 위해 극복해야 할 주요 장애물이다.

이러한 한계에도 불구하고, 디지털 트윈 기술이 제공하는 이점은 분명하다. 따라서, 이 기술의 성공적인 적용과 확산을 위해 산업계, 정부, 학계가 협력하여 기술적, 윤리적, 법적 문제를 해결하고, 디지털 트윈 기술의 잠재력을 최대한 활용할 수 있는 환경을 조성해야 할 것이다.

제12장 교육산업,
저비용의 안전 실험실습 환경 구현

기업이나 대학교 등의 연구실에서 유독가스 유출이나 폭발 사고가 발생했다는 뉴스가 심심치 않게 들려온다. 국가연구안전정보시스템에 따르면, 2018년 이후 실험·실습 중 안전사고 발생 건수는 48건에 이른다. 이는 매년 7~8건의 실험실 사고가 발생했다는 의미다.

한편, 과학기술정보통신부 조사에 의하면, 국내에 설치 운영 중인 연구실 수는 약 8만 6천 개이며, 이중 집중관리가 필요한 고위험 연구실은 60%(약 5만 2천 개)를 넘어서고 있다. 정확한 통계는 없지만, 중고등학교, 대학교 등 학교 실험실 상황은 좋게 보아도 별반 다를 바 없을 것이다.

이런 가운데, 최근 메타버스 기술을 활용해 학교 내 과학실험을 안전하게 수행할 수 있는 MaaS(Metaverse-as-a-Service) 시장이 열리고 있다. 바로 가상 실험실(Virtual Laboratory) 플랫폼 서비스다.

■ 가상실험실, 인명사고 걱정 없고 실험·실습 비용도 절약

가상실험실(Virtual Laboratory) 플랫폼 서비스란 VR(가상현실), AR(증강현실), MR(혼합현실) 등을 활용해 구축한 가상의 실험실에서, 사용자들이 실제처럼 다양한 실험·실습을 할 수 있는 클라우드 기반의 서비스다. 사용자들이 가상공간에서 실험·실습을 진행하기 때문에 안전사고를 걱정하지 않아도 되고 무한 반복 실험이 가능하다.

또, 실험 기자재, 재료 등이 필요 없어 실험 비용을 대폭 절약할 수 있다. 무엇보다 실험 과정과 결과 데이터가 디지털로 기록돼 즉석에서 시각화할 수 있는 것이 큰 장점이다.

■ 글로벌 가상실험실 시장, 2030년까지 연평균 12.2% 성장해, 88억 달러에 이를 전망

최근 이러한 가상실험실이 특히 교육분야에서 큰 인기를 얻고 있다. 이 분야의 전문 시장조사기관(ADROIT Market Research)에 따르면, 글로벌 가상실험실 시장은 연평균 12,2% 성장해 2030년 88억 달러에 이를 것으로 전망된다.

이미 글로벌시장에는 몇년전 국내에 진출한 Labster를 비롯해,

PraxiLabs, LabXchange 등 다양한 플랫폼이 상용화되어 있다. 일부 무료로 제공되는 플랫폼도 있지만, 더 포괄적이고 생생한 실험을 체험하려면 유료 플랫폼을 이용해야 한다.

< 주요 가상실험실 및 실험 플랫폼 >

플랫폼 이름	주요 특징	비용
Labster	• 광범위한 실험실 시뮬레이션 제공 • 3D시각화를 통한 포괄적인 이해 촉진	그룹 견적: $79/人
PraxiLabs	• 물리학, 생물학 등 과학실험용 가상실험실 • 고등학생, 대학생에 모두 적합	$44.99/6개월 $74.99/년
LabXchange	• 개인 맞춤형 과학학습 플랫폼 • 협업학습 환경 제공	무료
MEI Science	• 어린이를 위한 대화형 과학실험 제공 • 학교 과학교육 과정 보완	$39.90/월
Gizmos	• 대화형 과학 및 수학시뮬레이션 제공 • 복잡한 개념에 대한 이해도 증진	$1.01/월·좌석
ChemCollective	• 다양한 온라인 화학실험 활동 제공 • 대화식 및 실습 학습 촉진	n/a
PhET Interactive Simulation	• 대화형 과학 및 수학 시뮬레이션 제공 • 광범위한 주제, 질문 기반 학습 촉진	무료
Lab4Physics	• 일상적인 재료를 사용한 물리 실험 • 실습 및 실제 물리학 학습 촉진	$45.99/人·6개월

https://www.scijournal.org/articles/best-virtual-lab-and-experiment
ation-platforms

■ 랩스터(Labster), 5천여개 실험도구를 활용해 300개 이상의 생물·화학·물리 실험·실습할 수 있어..

랩스터(Labster)는 2012년 덴마크에서 설립된 글로벌 에듀테크 기업 중 하나로 대표적인 가상실험실 플랫폼 서비스를 제공한다.

사용자들은 랩스터에서 웹과 VR 기기를 활용해 생물(190개 이상), 화학(100개 이상), 물리(40개 이상) 등 300가지 이상의 과학 실험을 체험할 수 있다. 이를 위해 랩스터는 5,000여 개의 실험 도구를 제공한다. 현재 MIT, 스탠포드, 하버드 등 전세계 1,800개 교육·연구기관에서 90만명 이상이 이 플랫폼을 사용하고 있다.

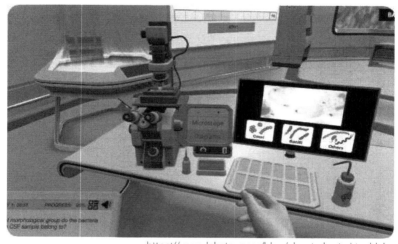

https://www.labster.com/blog/about-short-virtual-labs

네이처지에 따르면 랩스터를 이용했을 때의 학습 효과는 76%로 전통적인 실험실 교육방법의 학습 효과(50%)에 비해 크게 높은 것으로 나타났다. 또한, 랩스터를 도입한 대학들에서 학생들의 학습 성과가 향상됐다는 발표도 많다. 앞으로, 랩스터는 서로 다른 곳에 위치한 여러 명의 실험자가 한 플랫폼 안에서 팀을 이루어 상호 협력하며 실험할 수 있는 서비스도 출시할 예정이다.

■ **국내는 과기정통부 중심으로 수학·과학 가상실험실 운영 중이나,**
콘텐츠 빈약하고 학습방식도 기존 이러닝과 차이 없어..

국내에서는 2022년 8월부터 과기정통부를 중심으로 초·중·고 학생들이 온라인 환경에서 수학·과학 실험을 경험할 수 있는 가상실험실 플랫폼(Vlabon)을 시범 운영해왔다.

웹 기반의 3D 시뮬레이션 가상실험실 구축을 통해 초중고생들이 언제 어디서나 높은 수준의 과학 실험·실습을 할 수 있도록 하겠다는 목표로 운영 중이지만, 시범 서비스임을 감안하더라도 콘텐츠가 빈약하고 실습보다는 설명 중심이어서 기존의 이러닝 방식과 크게 다르지 않다. 한편, 일부 민간 스타트업이 추진하고 있는 가상실험실 사업은 아직 상용화까지 거리가 있는 것으로 보인다.

기왕에 늦은 국내 업계의 입장에서는 다른 차원의 준비가 필요해 보인다. 예를 들어, 생성 AI를 융합한 개인 맞춤형 가상실험실 개발 등 기존 플랫폼이 제공하지 못하는 부분을 킬러기술로 삼아 한 차원 업그레이드된 가상실험실을 개발하는 것이다. 국내 업계의 분발을 기대해본다.

제13장 실버산업,
메타버스 기반 제론테크의 부상

전 세계 고령인구가 급증하면서 '제론테크(Gerontech)'가 미래 유망 비즈니스의 하나로 떠오르고 있다. 제론테크란 노년학(Gerontology)과 기술(Technology)의 합성어. 고령층의 안전과 삶의 질을 높이고, 노인성 질병 치료를 돕는 일련의 상품, 서비스, 기술을 말한다. 치매 노인 실종 예방용 신발, 노인 돌봄 로봇, 스마트 요양원, 노인지원 디지털 보조기기 등이 그 예이며, 인공지능, 로봇, IoT, 빅데이터 등 4차 산업혁명의 핵심기술들이 제론테크에 활용된다.

UN 세계인구보고서(2019)에서는 2050년 전 세계 65세 이상 고령인구는 15억명에 이를 것으로 전망한다. 이는 현재의 두 배 이상 증가한 수치다. 이에 따라, 앞으로 제론테크 시장은 더욱 빠른 성장이 예상된다. 바로 제론테크에 주목해야 하는 이유다.

■ VR활용 치료법, 사회적 고립감 해소, 치매 예방 등에 효과 입증
최근 메타버스가 발전하면서 제론테크로의 활용이 기대되고 있다. 메타버스가 고령층을 위해 기여할 수 있는 분야 중 하나는 그들이 흔히 겪는 사회적 고립감을 경감시키는 것이다. 이미 이런 서비스가 시장에 출시되었다.

한 예로, 요양시설에 거주하는 고령자들이 멀리 떨어져 있는 가족들과 가상공간에서 실시간으로 만날 수 있는 가상현실 플랫폼, '알코브(Alcove)'다. MIT대학의 스타트업 렌데버(Rendever)가 미국 은퇴자협회(AARP)와 함께 개발했다. 노인들이 VR헤드셋을 착용한 채 알코브에 접속하면 자녀, 손자, 손녀들과 실시간으로 만나 대화, 체스게임, 가상여행 등을 할 수 있다. 또, 이 플랫폼을 이용해 가상 애완동물을 키우고, 요가, 클래식 음악 등의 다양한 가상현실 콘텐츠도 이용할 수 있다. 현재 미국의 150개 이상 노인요양시설에서 알코브를 활용하고 있는데, 사용자의 행복감이 40% 상승했다는 발표가 있을 만큼 효과적이다.

메타버스의 또 다른 적용 분야는 치매 예방 및 개선이다. 한 예로, 영국의 스타트업은 치매 환자를 위한 가상현실 서비스를 개발 중이다. 이른바 더웨이백(The Wayback) 프로젝트. 과거로의 가상여행을 통해 잠재돼있던 옛 기억을 자극할 수 있어 치매 환자 치료에 효과가 우수하다. 현재 이 회사가 제공하는 가상현실 영상은

1953년의 엘리자베스 여왕의 대관식과 1966년 영국 월드컵의 주요 경기 장면들이며, 이 외에도 70, 80대 영국 고령층의 향수를 불러일으킬 수 있는 다양한 콘텐츠를 개발 중이다.

https://alcovevr.com/

■ 암 환자의 통증 완화, 우울증 치료 등 활용 분야도 무궁무진

가상현실을 활용해 암 환자의 치료를 돕는 솔루션도 상용화되었다. 미국의 코그니햅(CogniHab)이 제공하는 솔루션이 그 예다. 이 회사는 가상현실을 활용해 항암 치료 전 휴식부터, 수술 후 재활까지 암 치료의 모든 단계에서 환자를 안심시키고 통증을 완화하는 솔루션을 제공한다. 코그니햅은 암 환자에게 이 솔루션을 적용 결과, 고통 65%, 불안 60%, 진통제 사용 39% 감소 효과를 얻었다고 주장한다.

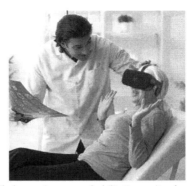

https://www.cognihab.com/cancer-rehabilitation-suite.php

　고령자들의 우울증을 치료하는 가상현실 서비스 기업도 있다. 예를 들어, 미국의 스타트업 비바비타(Viva Vita)는 은퇴한 고령자들의 정신 건강 회복을 위한 가상현실 서비스를 제공한다. 이 회사가 보유하고 있는 우울증 치료용 VR 콘텐츠는 수백 종류에 이르는데, 가족이나 본인이 온라인으로 신청하면 전문가가 VR 기기와 맞춤형 콘텐츠를 갖고 방문해 치료를 도와준다. 사용자들은 이 솔루션을 이용해 파리, 런던 등을 가상으로 여행하고, 물고기와 함께 물속을 거닐거나 새와 함께 날아다니는 가상 체험을 현실처럼 할 수 있다. 비바비타에 따르면, 우울증을 앓고 있는 고령자들에게 이 솔루션을 적용한 결과 약 90%가 증상이 완화되는 효과를 얻었다.

■ 국내업계도 고령층 위한 메타버스 개발 및 상품화 확대 필요

인구의 고령화는 먼 나라 이야기가 아니다. 우리나라는 2025년

초고령사회로 진입해 세계 최고 수준의 고령화 국가가 될 것으로 전망된다. 이에 따라, 최근 정부는 고령화 친화기술 R&D 기본계획을 수립하며 관련 산업의 활성화 방침을 발표하기도 했다.

 메타버스에 대한 열기가 뜨겁지만, 아직까지 국내기업들은 MZ세대를 대상으로 한 메타버스 개발에 집중하는 경향이 있다. 하지만, 앞선 사례에서 보았듯이 메타버스를 활용해 고령층의 문제를 해결할 수 있는 분야는 상상 이상으로 다양하고 시장도 크다. 앞으로 고령층을 위한 메타버스 개발과 상품화 확대에 대해 국내업계의 분발을 기대해본다.

제14장 이벤트산업,
실제처럼 즐긴다! '버추얼 이벤트'

팬데믹을 거치며 업계 대부분이 어려움을 겪었지만 급성장한 서비스 분야도 있다. 그중 하나가 대면 행사의 대안으로 사용되었던 버추얼 이벤트 플랫폼(Virtual Event Platform)이다.

이 플랫폼은 가상공간에서 컨퍼런스, 신제품 발표회, 무역박람회, 채용 박람회, 축제 등의 행사·이벤트를 개최할 수 있는 클라우드 기반의 메타버스 서비스다.

■ **오프라인 행사·이벤트와 비교해 낮은 비용과 시간 절약, 이벤트 성과 분석의 용이성 등이 큰 장점**
버추얼 이벤트 플랫폼은 실감기술(가상현실, 증강현실, 혼합현실),

3D 디지털 전시물, 아바타 등을 활용해 제품 전시에서, 공연·축제, 인적 네트워킹과 협업까지도 실제와 유사한 형태로 제공할 수 있다. 이 플랫폼의 최대 장점은 시공간 제약 없이 각종 이벤트·행사를 사용자들에게 낮은 비용으로 제공할 수 있다는 점이다. 또, 이벤트 참여자 및 활동에 대한 데이터를 실시간 분석해 이벤트 성과를 평가하고 개선할 수 있는 것도 장점이다.

< 오프라인 이벤트 vs. 버추얼 플랫폼 비교 >

구분	오프라인 이벤트	온라인 이벤트	버추얼 이벤트
발표 및 토론	●	●	●
제품 전시	●	○	◑ (3D 전시물 활용)
공연/축제	●	○	◑ (실감기술 활용)
네트워킹/협업	●	×	◑ (아바타 활용)
실시간 데이터 분석	×	◑	●
비용 및 시간	매우 높음	낮음	낮음
참석자 집중도	●	○	●

범례: ●(우수), ◑(보통), ○(제한적), ×(불가능)
자료원: "비대면 시대의 게임 체인저, XR(SPRi, 2020)" 참조해 필자가 재구성

■ **글로벌 시장, 연평균 20% 성장해 2027년 306억 달러 전망**
MarketsandMarkets에 따르면, 글로벌 가상 이벤트 플랫폼 시장은 2022년 현재 124억 달러에 이른다. 메타버스 관련 기술의 발전과 기업의 수요가 확대되어 앞으로도 이 시장은 연평균 20%의 고성장을 지속해 2027년 306억 달러에 달할 전망이다.

한편, 글로벌 시장에는 국내에 많이 알려진 Engage를 비롯해, Touchcast, vFairs, Inverse 등 다양한 플랫폼이 이미 상용화되어 있다. 아래는 최근 글로벌 시장에서 많이 활용되고 있는 가상 이벤트 플랫폼들이다.

< 주요 버추얼 이벤트 플랫폼 >

플랫폼	제공 서비스	가격체계
Engage	3D 가상 환경, 다양한 이벤트 형식 지원, 맞춤형 브랜딩, 대화 및 네트워킹 기능, 확장성 및 보안, 다국어 지원	개인(월10달러), 법인 별도 책정
Touchcast	인터랙티브 비디오, 실시간 통신, 웨비나 및 비디오 회의 지원, 사용자 정의 가능한 템플릿, 분석 및 통계	-
Hopin	다양한 이벤트 형식 호스팅, 강조된 인터랙션 및 네트워킹, 스폰서십 기회	Core, Advanced, Ultra로 구분(사용 자당 20~35달러)
vFairs	가상 박람회 및 전시회 특화, 대규모 이벤트 지원, 브랜딩 커스터마이즈, 다국어 지원	Basic, Premium, Enterprise 구분
Livestorm	웨비나 및 비디오 커뮤니케이션, 이벤트 마케팅 통합, 실시간 분석 및 데이터	Pro, Business, Enterprise 구분
Inverse	3D 가상 이벤트 환경, 고급 브랜딩 커스터마이즈, 다국어 및 다양한 콘텐츠 지원	개인, 법인 별도 책정
Hubilo	상호작용 강화 기능, 커뮤니티 빌딩 기능, 이벤트 분석 및 리포팅 지원	Advanced, Pro, Enterprise 구분

자료원: 필자가 인터넷 검색을 통해 정리

이중 국내에서도 다양한 산업과 분야에서 활용되고 있는 Engage에 대해 좀 더 구체적으로 살펴보자.

■ 대표 플랫폼 Engage, 다양한 유형의 가상 이벤트를 지원하며,
실시간 데이터 분석, 다국어 지원 기능 등이 특징

Engage는 아일랜드의 벤처기업이 출시한 대표적인 버추얼 이벤트
플랫폼 중 하나다. 현재까지 180개 이상의 글로벌 기업과 대학이
이 플랫폼을 도입했으며, 국내에서도 일부 기업과 공공기관, 대학
등이 이 플랫폼을 이용해 행사·이벤트를 진행하고 있다.

이 플랫폼은 웹 캐스팅(Web Casting), 웨비나(Webinar), 가상
박람회, 온라인 교육 등 다양한 유형의 가상 행사·이벤트를 지원한
다. 사용자들은 화면 공유, 비디오 스트리밍, PPT 프레젠테이션,
360도 비디오 등을 통해 콘텐츠를 공유할 수 있고, 현실감 있는
3D 가상 환경에서 다른 사용자와 소통하며 네트워킹할 수 있다.

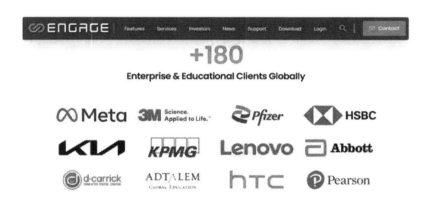

https://engagevr.io/

Engage는 이벤트 주최자의 브랜드에 맞게 로고, 배경, 부스 등

을 자유롭게 설정할 수 있는 맞춤형 브랜딩 기능도 제공한다. 또, 이벤트 참여자 및 활동에 대한 데이터를 실시간으로 제공해 이벤트 성과를 평가하고 개선할 수 있도록 도와주는 분석·통계 기능, 다양한 국가의 참여자를 대상으로 이벤트를 개최할 수 있는 다국어 지원 기능도 가지고 있다.

■ **개인정보 보호, 플랫폼 보안, 통신 연결의 불안정성, 현실감 개선 등은 해결해야 할 과제**

이처럼 버추얼 이벤트 플랫폼은 많은 장점이 있지만, 기업은 몇 가지 한계와 문제점을 고려하며 활용해야 한다.

먼저, 플랫폼의 기술적 요구사항과 인터넷 연결의 안정성 문제는 사용자 경험을 저해할 수 있고, 플랫폼에 대한 사이버 공격과 개인정보 유출 위험도 상시 존재한다. 또, 가상 이벤트 참가자는 많은 디지털 환경에 노출돼 주의가 분산될 수 있으므로 주최자는 참가자들을 계속해서 끌어들이는 노력이 필요하다. 마지막으로, 가상 이벤트 플랫폼은 기술적 한계로 아직 완벽한 현실감을 제공하지는 못한다는 점도 염두에 두어야 할 것이다.

제15장 도시기획,

도시 문제 해결은 디지털 트윈으로!

세계 어느 나라를 보더라도 인구의 상당수는 도시에서 생활한다. 도시는 많은 인구가 거주하고 있는 만큼 다양하고 복잡한 문제를 안고 있다. 최근, 글로벌 주요 국가에서는 도시의 각종 문제를 해결하는 수단으로 디지털 트윈 기술에 주목하고 있다.

　디지털 트윈은 도시와 그 안의 사회(커뮤니티)를 가상공간에 복제해 도시의 각종 데이터를 실시간 분석, 예측함으로써 도시에서 발생하는 다양한 문제를 과학적으로 빠르게 해결할 수 있기 때문이다. 이번 장에서는 주요 도시의 디지털 트윈을 활용한 도시 기획·관리 혁신사례를 살펴보자.

■ 글로벌 주요 도시는 신도시 개발, 교통 및 에너지 관리, 재난 대
   응, 시민 안전 등에 디지털 트윈을 활용

먼저, 글로벌 주요 도시가 디지털 트윈을 활용해 혁신하고 있는
분야는 도시 개발, 교통 계획 및 관리, 에너지 관리, 재난 대응, 범
죄 예방 등 크게 5가지로 나눌 수 있다.

< 디지털 트윈 기반 도시 기획 내용과 기대효과 >

활용 분야	디지털 트윈 활용 내용	기대효과
도시 개발	신규 개발 프로젝트나 도시 재생 프로젝트의 영향을 사전에 시뮬레이션하여 최적의 계획안을 도출합니다. 인구 통계, 경제 활동 등 다양한 변수를 고려하여 도시 공간을 설계	지속가능 도시, 생활 편의성 향상, 비용효율적 도시 개발
교통 관리 및 계획	도시의 교통 흐름을 모델링하고 실시간 데이터를 통합하여 교통 체계를 최적화. 이를 통해 교통 혼잡 예측, 교통 신호 조정, 최적 경로 제공 등이 가능	교통 혼잡 감소, 대기 시간 단축, 대기오염 감소 등
에너지 관리	에너지 소비 패턴, 전력망의 부하 및 분포를 실시간으로 모니터링하고 분석하여 에너지 사용을 최적화하거나 재생 가능 에너지 통합을 촉진	에너지 효율성 증가, 탄소 배출 감소 등
재난 대응 및 관리	도시의 다양한 인프라와 자연 환경 데이터를 통합하여 홍수, 지진 등 재난 시나리오를 시뮬레이션하고 대응 계획을 수립	신속한 재난 대응, 인명 피해 최소화
범죄 예방	범죄 패턴 분석, 공공 안전 인프라의 효율적 배치 등을 위해 디지털 트윈을 활용 치안을 강화하고 범죄 예방 전략을 수립.	공공의 안전성 증대, 범죄율 감소 등

자료: 필자가 ChatGPT 검색을 통해 정리

예를 들어, 디지털 트윈을 도시 개발에 활용하면, 신규 개발 프
로젝트나 도시 재생 프로젝트의 영향을 사전에 시뮬레이션해 최적
의 계획안을 만들 수 있다.

또, 인구, 교통, 에너지, 기상, 경제 등 다양한 변수를 고려한 도
시 공간을 빠르게 설계할 수 있게 돼, 생활 편의성이 향상되고 지
속 가능한 도시, 비용 효율적인 도시 개발이 가능해진다.

디지털 트윈은 도시 개발 외에도, 도시의 교통 흐름을 개선하고, 에너지 사용을 최적화하며, 홍수, 지진 등 재난 대응 계획을 세우는 데에도 적절히 사용될 수 있다.

■ **싱가폴, 도시 전체를 디지털 트윈으로 구현한 '버추얼 싱가폴 (Virtual Singapore)' 론칭**

도시국가 싱가폴은 디지털 트윈을 도시 혁신에 활용하는 대표적인 사례로 손꼽힌다. 싱가폴 정부는 2014년 12월부터 국가 전체를 디지털 트윈으로 구축하는 '버추얼 싱가포르(Virtual Singapore)' 프로젝트를 추진해왔다. 2018년까지 약 7,300만 달러가 투입된 이 프로젝트에는 지멘스(Siemens), 다쏘시스템(Dassault Systems) 등 글로벌 기업들도 참여해 도로, 통신, 에너지 등 산업 인프라와 주택, 빌딩 등 도시의 모든 구조물을 디지털 트윈으로 구현했다.

https://infra.global/singapores-digital-twin-from-science-fiction-to-hi-tech-reality/

현재, 싱가폴 정부는 '버추얼 싱가폴'을 활용해 신도시 기획, 교통 인프라 개선, 환경 영향 분석, 재난 대응 등 다양한 도시 문제를 해결하고 있으며, 나아가 시민, 기업, 연구기관에도 이 프로젝트 산출물을 개방해 도시 혁신을 위한 다양한 아이디어를 얻고 있다. 예를 들어, 싱가폴의 도시계획 전문가와 건축가들은 도로, 빌딩 등을 신축하기 전 햇빛과 바람의 방향, 교통 흐름의 변화를 예측하여 환경친화적인 인프라와 건축물을 설계하고 있다.

또한, 에너지 전문가들이 도시의 에너지 소비 패턴을 분석하고, 에너지 효율을 높이는 방안을 찾는 데에도 '버추얼 싱가폴'이 활용된다.

디지털 트윈은 도시 전체의 에너지 효율을 높이고, 탄소 발자국을 줄이는 데 기여하고 있다.

■ 핀란드 헬싱키, 디지털 트윈을 활용해 모빌리티(Mobility) 전반을 혁신

헬싱키는 모빌리티(Mobility)에 특화해 디지털 트윈을 활용하고 있는 도시혁신 사례다. 이 도시는 2019년 1월부터 스마트 모빌리티(Smart Mobility) 기술의 실증을 위해 서부 헬싱키 지역을 중심으로 '모빌리티 랩 헬싱키(Mobility Lab Helsinki)' 프로젝트를 진행하고 있다.

이 프로젝트의 목표는 새로운 스마트 모빌리티 프로젝트 발굴, 모빌리티 디지털 트윈 서비스 고도화, 실제 도시환경에서 새로운 스마트 모빌리티 솔루션의 실험·개발 등 크게 3가지다. 이를 위해 헬싱키시는 대학, 연구기관, 일반기업, 스타트업 등으로 프로젝트 운영위원회를 구성하고, 6개월 주기로 스마트 모빌리티 솔루션을

발굴하고 있다.

그 결과, 지금까지 지역주민 1,300명 이상이 참여해 23개의 파일럿 프로그램을 실시하고, 16개의 R&D 실증 프로젝트를 수행해 도시의 모빌리티를 혁신할 다양한 솔루션을 개발했다. 예를 들어, Vianova 솔루션은 스쿠터(Scooter) 사용자가 수집하는 도시 내 차량과 도로 상황에 대한 마이크로 데이터를 활용하여 이용자에게 대기오염 정보와 안전한 경로를 찾아준다. 또, Vizible zone 솔루션은 휴대폰 또는 IoT(사물인터넷) 장치에서 수집되는 데이터를 활용해 차량과 보행자, 차량과 차량 간의 충돌을 방지해준다. 이 솔루션은 공항, 항만, 물류센터, 건설현장 등에서 사고를 방지하기 위한 기술로도 이용되고 있다.

e-Scooter Safe Tech: AI 및 컴퓨터 비전을 통해 전동 킥보드 라이더의 행동을 분석하고 인프라 요소를 식별하는 테스트 진행

https://mobilitylab.hel.fi/projects/

이 밖에도 뉴욕, 런던, 뉴캐슬(英), 바르셀로나, 상하이, 암스테르담, 코펜하겐 등 세계 주요 도시들이 디지털 트윈을 도시 기획 혁신에 활용하고 있다.

■ 높은 초기비용, 데이터 통합의 어려움, 보안 문제 등 한계도 많아, 후발 도시는 단계적 접근이 필요

디지털 트윈 기술이 도시 혁신의 주요 수단으로 부상하고 있지만, 한계도 적지 않다.

먼저, 도시 규모의 디지털 트윈 구축은 상당한 초기 투자를 필요로 한다. 고해상도 센서, 데이터 수집 및 관리 시스템, 고성능 컴퓨팅 자원 등 고비용의 인프라가 요구되기 때문이다.

또, 여러 출처로부터 수집되는 다양한 데이터 형식과 기준을 통합하고 관리하는 것과 개인정보가 포함된 데이터의 안전한 수집 및 사용은 중요한 도전과제다.

마지막으로, 현재의 기술로는 모든 현상을 완벽하게 모델링하거나 예측할 수 없으며, 기술적 오류나 한계가 프로젝트 효과를 저하시킬 수 있다는 점도 인식해야 한다.

따라서, 후발 도시는 디지털 트윈을 전체 도시가 아닌 작은 구역 또는 특정 기능에서 시작하여 단계적으로 확대해 나가야 한다. 이를 위해 장기적인 투자와 지속 가능한 운영 방안이 마련되어야 할 것이다.

제16장 사회문화,
메타버스로 따뜻한 세상 만들기

얼마 전 국내 지상파에서 방송된 한 프로그램이 잔잔한 화제가 되고 있다. VR(가상현실) 휴먼 다큐멘터리 '너를 만났다'가 그 주인공이다. 2020년 시즌 1(혈액암으로 죽은 7살 딸을 만난 엄마의 이야기)을 시작으로, 2021년 시즌 2(사랑하는 아내를 만난 남편), 그리고 지난 5월 방영된 시즌 3(위암으로 돌아가신 엄마를 만난 딸)에 이르기까지 감동의 연속이었다. 가족들이 인공지능으로 재현한 딸·아내·엄마를 가상공간에서 만나, 못다 한 이야기를 나누는 장면들을 본 시청자들은 감동의 눈시울을 적셨다. 특히, 시즌 1의 유튜브 영상은 현재 누적 조회 수 3천만 건을 넘을 정도로 높은 관심을 얻고 있고, 수많은 격려의 댓글도 올라와 있다.

https://program.imbc.com/meetyou

이처럼, 가상증강현실기술의 '착한 활용' 사례들이 사람들의 마음을 훈훈하게 하고 있다. 그렇다면, 가상증강현실기술이 정말 사회를 선하게 바꿀 수 있을까? 몇 가지 성공사례들을 살펴보자.

■ 가상현실체험, 인종 차별·편견 해소에 효과

미국에는 1960대 후반까지 흑인들이 여행할 수 있는 곳을 따로 정리해놓은 책자가 있었다. 이른바 그린북(Green Book)이다. 많은 호텔과 레스토랑에서 흑인들의 출입을 거부했기 때문에 만들어진 흑인을 위한 여행안내서다. 한 조사에 의하면, 미국에서는 아직까지 혐오범죄의 약 58%가 인종에 대한 편견에서 비롯되며, 범죄대상의 47%가 흑인이라고 한다.

여기에 착안해, 2019년 미국과 캐나다의 영상제작사가 합작해 '흑인이 되어 여행해보기(Traveling While Black)'라는 VR 다큐멘터리 영화를 개봉했다. 그린북으로 여행하며 겪는 흑인들의 애환을 1인칭 시점에서 체험하는 360도 필름이었다. 흑인들이 여행 중에 받는 차별과 그들의 고통을 다소나마 이해할 수 있게 한 영화로, 미국과 캐나다 영화제에서 우수상도 받았다.

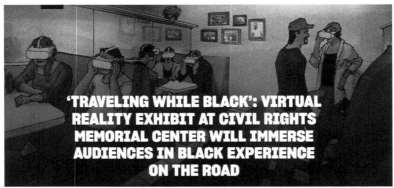

이와 유사하게, '1000컷의 여정(1000 Cut Journey)'이라는 또 다른 사례도 있다. 단지 흑인이라는 이유로 유년시절 학교에서 정학당하고, 청소년기에는 경찰로부터 폭행을, 성년이 되어선 직장 상사로부터 차별받는 상황 등을 1인칭 시점에서 경험하는 VR 콘텐츠다. 스탠퍼드대학의 가상인간 상호작용연구소가 제작했다.

최근 바르셀로나대학의 연구에 따르면, 흑인들이 겪는 차별, 물리적 폭행, 왕따 등을 가상현실로 체험할 경우, 흑인에 대한 인종 차별과 편견이 현저히 감소한다고 한다. 가상현실을 통한 간접 경험이 인종 차별과 편견 해소에 효과가 있다는 주장이다.

■ 사회 이슈 공감과 문제 해결을 위한 참여 독려에도 효능

가상증강현실기술은 사회 구성원들이 이슈를 폭넓게 공감하고 문제 해결에 참여하도록 독려하는 데도 활용될 수 있다.

한 예로, 영국의 사회적기업 코너스톤 파트너십이 만든 아동 폭력 VR 체험 프로그램을 들 수 있다. 이 VR영상은 아동들이 겪는 가정 폭력, 방치 등 12가지 사건을 가상현실로 경험할 수 있는 프로그램이다. 아동 폭력을 당하는 아이들의 공포와 고통을 더 많은 사람들이 공감할 수 있도록 하기 위해 만들어졌다.

코너스톤 파트너십의 아동 폭력 VR 체험 프로그램

https://www.cornerstonepartnership.co.uk/

또 다른 예로, 유니세프가 국내에서 전개했던 시리아 난민 후원 VR 캠페인도 있다. 이 캠페인에 참여한 사람들은 가상현실을 활용해 국내에서도 현지 난민들의 어려움을 유사하게 체험할 수 있다.

유니세프는 약 1년간의 캠페인 결과, 가상현실을 경험한 사람들이 그러지 않은 사람들보다 약 80% 더 높은 후원 참여를 보였다고 한다.

■ 시각장애, 말더듬증 치료 등 가상증강현실기술의 사회적 기여 확대

세계보건기구에 따르면, 전 세계 약 20억명이 약시나 난시 등 시력 때문에 불편을 겪고 있다고 한다. 이는 세계 인구의 25%에 달하는 큰 숫자다. 가상증강현실기술이 이들에게도 도움을 줄 수 있을까?

삼성전자 사내벤처가 개발한 '릴루미노(relumino)'는 시력이 낮은 사람들의 시력 회복을 도와주는 VR 안경이다. 안경에 탑재된 카메라가 스마트폰으로 이미지를 전송하면, 스마트폰에선 이미지 확대·축소, 윤곽선 강조, 밝기 조정, 색상 반전 등의 작업 후, 그 이미지를 다시 안경으로 보내도록 만들어진 스마트 기기다. 시각을 완전히 잃은 사람들을 제외한 시각장애인들이 이 안경을 착용하면 기존의 왜곡되고 뿌옇게 보이던 사물들을 보다 뚜렷하게 볼 수 있다고 한다. 삼성은 현재 이 제품의 의료기기 등록·허가 절차를 진행 중이다.

한편, 전 세계에 말더듬증으로 고통을 받는 사람들이 7,600만명이나 된다는 통계도 있다. 일본에서는 이를 치료하기 위한 가상현실기술도 등장했다. 일명 '도모렌즈(Domolens)'라는 VR 상품이다. 이 상품은 사용자들이 면접, 발표, 자기소개, 전화 등 가상의 상황을 경험하면서 스피치 능력을 올릴 수 있도록 한다. 이 상품의 개발업체는 향후 인공지능을 활용해 훈련 과정을 더욱 고도화할 계획이다.

최근, 가상증강현실기술을 이용한 따뜻한 세상 만들기 프로젝트가 한창이다. 앞서 설명한 성공사례 외에도, 해외에서는 가상증강현실기술을 활용한 코로나 환자들의 불안 해소, 청소년 음주 문제 해결 지원, 외상 후 스트레스 장애 치료, 치매 치료 지원 등 그 사례를 하나하나 열거하기 힘들 정도다.

https://domolens.jp/

■ 가상증강현실기술 접목한 '버추얼 리빙랩'이 사회문제 해결사로 부상

새로운 ICT(정보통신기술)에 최적화된 주거 환경 연구를 위해 시

작된 '리빙랩(Living Lab)'이 최근 사회문제 해결을 위한 혁신 방법론으로 떠오르고 있다.

리빙랩이란 2004년 MIT 미디어랩이 기술과 사회 혁신을 위해 개발한 현장 중심적 문제해결 방법론이다. 리빙랩의 가장 큰 특징 중 하나는 최종사용자들이 직접 연구에 참여해 혁신 아이디어를 내고 의사결정도 함께 한다는 점이다. EU를 비롯한 주요 선진국들은 이미 오래전부터 리빙랩 추진을 통해 다양한 사회문제를 해결해왔다. 국내에서도 '우리마을 실험실', '살아있는 연구실', '일상생활 실험실' 등의 이름으로 수년전에 도입되었고, 지역 주차문제, 학교폭력문제, 관광지 쓰레기투척문제 등 지역 공동체가 안고 있는 각종 사회갈등문제 해결에 유용하게 활용되고 있다.

최근 이러한 리빙랩에 가상증강현실기술을 접목해 지역공동체의 문제를 더욱 효과적으로 해결할 수 있게 되었다. 문제 해결의 대안들을 바로바로 시각화해 이해당사자 간 커뮤니케이션이 향상되기 때문이다.

■ 독일 함부르크시, 유럽 난민 수용시설 개발

2016년 독일 최대 항구도시이자 교통요지인 함부르크시는 매일 수백명씩 쏟아져 들어오는 난민들로 골머리를 앓고 있었다. 적정 지역에 난민 수용시설을 건설해야 했지만, 시가 후보지역을 발표할 때마다 해당지역 주민들의 반발이 만만치 않았다. 함부르크시는 MIT 미디어랩과 함께 '버추얼 리빙랩' 프로젝트를 추진해 이 문제를 해결했다. 시민 스스로 난민들의 주거지를 찾는 일명 '장소

찾기(Finding Places)' 프로젝트였다.

　함부르크시는 세 가지 원칙만 제시했다. 첫째, 시의 모든 지역이 난민 수용에 대한 책임을 공평하게 갖는다, 둘째, 이미 난민이 몰려있는 지역은 피한다, 셋째, 모든 결정은 공동체가 주도한다. 이를 위해, MIT 미디어랩은 난민 수용시설 건설에 따른 시 전체의 영향도를 시각화하는 시스템을 구축했다.

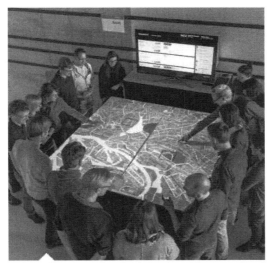

https://www.media.mit.edu/projects/cityscope-hamburg/overview/

　이 시스템은 특수 제작된 레고 블록, 지리 시뮬레이션 알고리즘 및 증강현실기술 등으로 구성되었는데, 지역사회 리더와 시민들이 수용시설 후보지를 선택하면 그 지역의 변화 모습과 시 전체의 영향을 데이터와 증강현실로 바로바로 보여주었다.

이 버추얼 리빙랩의 운영을 통해, 시민들은 160개의 난민 수용시설 후보지역을 제시했고, 함브르크시는 신속하게 검토해 44개의 지역에 수용시설을 구축할 수 있었다. 이로써, 보통 수년이 걸리던 난민 수용시설 의사결정 기간을 단 몇 개월로 단축할 수 있었다.

■ 미 뉴욕시와 호주 모어랜드시, 지역 개발 위한 시민 의견 조정

리빙랩에 가상증강현실기술을 접목하면 지역 개발을 위한 시민들의 의견을 효과적으로 수렴하고 조정할 수 있다. 美 뉴욕 시 외곽의 뉴로첼(New Rochelle) 지역이 추진했던 다운타운 재개발 프로젝트가 좋은 예다. 뉴로첼시는 VR을 활용해 주민들에게 다운타운 내 새로 건설할 빌딩과 거리의 모습, 그리고 공원에 대한 계획을 3차원 영상으로 실감나게 보여주었다.

예를 들어, 시민들은 새롭게 재개발된 도시의 길거리 한가운데서 개최되는 재즈 축제, 크리스마스 점등식 등 다양한 행사를 가상현실로 미리 체험할 수 있었다. VR을 통해 시의 계획을 눈으로 확인하고 체험한 시민들은 자신들의 의견을 적극적으로 제시했고, 시는 그 의견들을 종합해 새로운 빌딩과 도로, 공공시설을 건설했다. 그 결과, 뉴로첼시는 2018년 블룸버그 자선단체가 선정하는 챔피언시의 영예를 얻게 되었다.

뉴로첼(New Rochelle) 지역은 가상현실기술을 활용하여 주민들이 도시개발 계획 프로세스에 적극 참여하는 계기를 마련하였다.
https://bloombergcities.jhu.edu/news/virtual-realities-how-cities-are-moving-metaverse-and-beyond

또 다른 예로, 호주 남부의 모어랜드(Moreland)시도 지역 재개발 프로젝트에 가상현실기술을 활용했다. 2017년말부터 2019년 6월까지 진행된 이 프로젝트는 급증하는 인구와 도시환경 변화에 맞게 모어랜드 지역을 혁신하는 것이 목표였다. 이 시는 멜버른대학과 함께 실감기술을 기반으로 가상 모어랜드(My Virtual Moreland)를 구축해, 뉴로첼시 사례와 같이 지역개발에 대한 시민들의 의견을 효과적으로 모을 수 있었다.

■ 도입 초기의 국내 도시, 작은 성공사례부터 축적할 필요
최근 국내에서도 가상증강현실기술을 도시문제 해결에 활용하려는 움직임이 나타나고 있다. 서울시가 구축한 'S-Map'이 대표적인 사

례다. 이는 환경, 안전, 도시계획 등 다양한 도시문제 해결을 위해 서울시 전역을 3D 가상현실로 구축한 디지털 트윈 플랫폼이다. 서울시는 전문가와 시민들이 언제든지 이 플랫폼을 자유롭게 활용해 도시문제를 연구하고 개선 아이디어를 제시할 수 있도록 하는 '버추얼 서울 오픈랩(OpenLab)'을 운영하고 있다.

https://openlab.eseoul.go.kr/

또한, 인천시도 '확장현실(XR: eXtended Reality) 메타버스 인천 이음 프로젝트'를 추진 중이다. 인천시는 인천국제공항 등 주요 시설을 포함, 시 전역을 3D 가상공간으로 구현해 다양한 서비스를 제공할 계획이다. 특히, 서비스를 발굴·기획하고, 실행하는 의사결정에 시민들이 주도적으로 참여하는 리빙랩도 운영할 예정이다.

가상증강현실기술을 지역공동체 문제 해결에 활용하려는 서울시와 인천시의 계획은 바람직한 방향이다. 하지만, 계획이 실행으로 이어져 실질적인 성과를 낼 수 있을지는 의문이 있다. 문제의 범위가 불명확하고 목표 또한 모호하기 때문이다. 해외 성공사례에서 볼 수 있듯이, 가상증강현실기술을 활용해 지역공동체의 문제를 해결할 수 있었던 비결은 그 기술을 목적에 맞게 활용한 데 있다.

이는 도입 초기의 국내 도시들에게 시사하는 바가 크다. 가상증강현실로 지역공동체 문제 해결하기! 그 첫걸음은 작은 성공사례들의 축적이다. 앞으로 국내 도시들이 혁신할 문제의 범위와 목표를 좀 더 명확히 해 다양한 성공사례를 만들어나가길 기대해본다.

마무리: 2040년, 메타버스 세상은 실현될 수 있을까?

메타버스가 만드는 가상경제가 현실경제 이상의 시장을 형성할 것이라는 전망에 따라, 메타버스에 대한 기업들의 관심과 투자 열기가 뜨겁다. 하지만, 여전히 가상경제의 실현 가능성에 의문을 가진 사람도 적지 않은 듯하다. 과연 완전한 메타버스 세상은 언제쯤 실현될 수 있을까? 또 가상경제를 촉진하는 요인과 저해하는 요인은 무엇일까?

■ 美 전문가들, 2040년 메타버스 세상의 실현 가능성에 대해 긍정 54%, 부정 46%로 인식

최근 미국의 엘론대학교(Elon University)와 퓨리서치센터(Pew Research Center)는 메타버스 세상의 실현 가능성을 연구해 발표했다. 이 연구는 총 624명의 기술혁신가, IT개발자, 비즈니스 및 정책 리더, 연구원 등을 대상으로, 2040년 메타버스의 실현 가능성과 촉진·저해 요인을 인터뷰와 서면으로 조사한 후, 그 결과를 종합한 것이다. 그 결과, 2040년까지 사람들이 완전히 몰입할 수 있는 메타버스가 구현돼 일상생활의 일부가 될 것(긍정론)이라고 기대하는 전문가는 54%에 달하는 것으로 나타났다. 반면, 전문가의 46%는 기술적인 한계와 사용자들의 사회·문화적 관습·태도 때문에, 2040년까지 완전한 가상경제의 구현은 어려울 것(부정론)으로 예상했다.

이처럼, 메타버스 세상의 실현에 대해 전문가들은 어떤 이유로

긍정론과 부정론을 펼치고 있는 것일까? 먼저 긍정론을 주장하는 이유에 대해 알아보자.

■ 긍정론은 기업들의 지속적인 대형 투자, 일상에 유용한 메타버스에의 편리한 접근, 몰입 기술의 발전 등에 기인

2040년 완전한 가상세계 구현이 가능하다고 생각하는 전문가들은 그 첫 번째 이유로 기업들의 대대적인 투자를 손꼽는다. 가상경제의 도래를 확신하는 기업들이 메타버스를 미래 유망 수익원으로 인식하고 메타버스 관련 사업과 기술 발전을 위해 거액의 투자를 지속한다는 것이다. 페이스북에서 사명을 바꾼 메타, B2B 메타버스 구축 솔루션 옴니버스를 출시한 엔비디어 등의 빅테크는 물론, 다양한 비즈니스 모델을 구상해 메타버스 사업에 올인하고 있는 전문 스타트업들이 좋은 예다.

두 번째 이유로, 전문가들은 2040년에는 현재와 비교해 훨씬 더 많은 사람이 일상생활에 유용한 메타버스를 쉽게 찾을 수 있을 것이라는 점을 든다. 전문가들은 기업들의 투자가 증가하면서 사용자들의 일상적인 니즈를 만족시키면서 이용이 편리한 다양한 형태의 메타버스가 등장할 것으로 예상한다.

긍정론의 세 번째 이유는 몰입 기술의 발전이다. VR, AR, 홀로렌즈 등 가상·증강현실기술의 발전과 함께 사람들이 메타버스 세상에서도 오감을 느끼며 살아갈 수 있는 각종 센서와 햅틱(Haptic) 장비들이 개발돼 현실과 같은 가상세계 구현이 가능해지기 때문이다.

마지막으로, 사회 전반에서 메타버스의 긍정적인 활용 사례가 증가하는 것도 메타버스 세상을 실현하는 요인 중 하나다. 예를 들어, 메타버스를 활용한 폭력·인종차별 등의 사회문제 해소, 치매·말더듬증 치료, 버추얼 리빙랩 등 따뜻한 사회 만들기에 활용되는 메타버스가 좋은 예다.

한편, 전문가들이 메타버스 세상의 도래 가능성에 대해 부정적으로 생각하는 이유는 무엇일까?

■ 부정론은 일상과의 괴리, 구현기술의 발전 지연, 가상보단 현실 세계 선호 등을 이유로 지목

2040년 완전한 가상세계 구현에 대해 부정적으로 생각하는 전문가들은 그 첫 번째 이유로 일상생활에 유용한 메타버스가 부족할 것이라는 점을 손꼽는다. 메타버스가 산업이나 기업을 혁신하는 데 매우 유용하지만, 사람들의 일상으로 스며들기에는 한계가 있다고 보는 것이다. 부정론을 주장하는 전문가들은 2040년이 돼도 사람들은 메타버스를 일상생활보다 게임이나 공연 등 엔터테인먼트를 즐기는 데 주로 활용할 것이라고 생각한다.

부정론의 두 번째 이유는 메타버스 구현기술의 발전이 지연되는 것이다. 일부 전문가들은 2040년까지 가상세계 구축에 필요한 기술들이 쉽고 편리하게 활용될 수 있을 만큼 충분히 발전하지는 못할 것이라고 예상한다. 이는 긍정론을 펼치는 전문가들의 의견과 정면으로 배치되는 것으로 어느 한쪽의 주장이 맞다 틀리다를 속단할 순 없다.

세 번째 이유로, 전문가들은 사람들이 가상세계보단 현실세상을 더 선호할 것이라는 점을 든다. 아무리 현실과 유사한 메타버스가 구현되더라도 그것은 컴퓨터로 구현된 가상세계일 뿐이라는 생각이다. 이는 가상세계와 현실세계의 연결·융합을 통해 해결해야 할 중요 과제다.

　마지막으로, 가상·증강현실기술의 악용이나 오용도 가상경제의 도래를 가로막는 요인이다. 비근하게 가상인간 제작기술의 오용을 예로 들 수 있다. 딥페이크 기술이 발전하면서 진짜와 같은 가짜 인물이나 영상을 손쉽게 만들 수 있게 되었고, 이에 따른 가짜뉴스의 폐해가 현재도 부지기수로 발생하고 있다. 메타버스의 발전을 위해서는 가상·증강현실기술의 오용 및 악용을 방지하기 위한 법·제도의 정비가 시급하다.

■ 가상경제의 저해 요인들을 철저히 경계하면서 다가올 메타버스 세상을 차분히 준비

엘론대학교와 퓨리서치센터의 연구결과에서 볼 수 있듯이, 2040년까지도 완전한 메타버스 세상에 대한 긍정론과 부정론은 대등한 수준이다. 하지만, 분명한 것은 메타버스 세상을 구현할 기술들은 계속 발전하고 있고, 가상경제의 도래는 거스를 수 없는 큰 파도라는 사실이다. 전문가들은 현재 우리가 경험하고 있는 메타버스 세상은 다가올 미래의 파편에 지나지 않는다고 이야기한다. 필자도 같은 생각이다.

　물론, 장밋빛만 보고 기업을 경영할 순 없다. 따라서, 기업들은 부정론의 주요 요인들을 철저히 경계하면서 긍정론에 기반해 새로운 메타버스 사업기회를 면밀히 모색해야 한다. 앞으로 국내 기업들의 파이팅을 기대하겠다.